하루 한 장 75일

교과 연산

변화를 정확히 이해해야 합니다.

수학의 기본이면서 이제는 필수가 된 연산 학습, 그런데 왜 우리 아이들은 많은 학습지를 풀고도 학교에 가면 연산 문제를 해결하지 못할까요?
지금 우리 아이들이 학습하는 교과서는 과거와는 많이 다릅니다. 단순 계산력을 확인하는 문제 대신 다양한 상황을 제시하고 상황에 맞게 문제를 해결하는 과정을 평가합니다. 그래서 단순히 계산하여 답을 내는 것보다 문장을 이해하고 상황을 판단하여 스스로 식을 세우고 문제를 해결하는 복합적인 사고 과정이 필요합니다.
그림을 보고 상황을 판단하는 능력, 그림을 보고 상황을 말로 표현하는 능력, 문장을 이해하는 능력 등 상황 판단 능력을 길러야 하는 이유입니다.

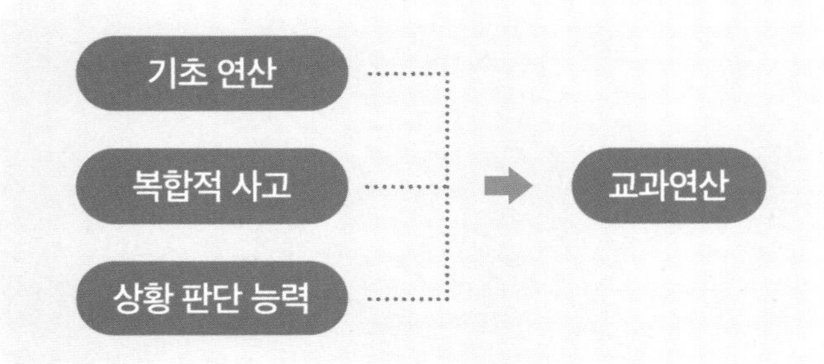

연산 원리를 학습함에 있어서도 대표적인 하나의 풀이 방법을 공식처럼 외우기만 해서는 지금의 연산 문제를 해결하기 어렵습니다. 연산 학습과 함께 다양한 방법으로 수를 분해하고 결합하는 과정, 즉 수 자체에 대한 학습도 병행되어야 합니다.
교과연산은 연산 학습과 함께 수 자체를 온전히 학습할 수 있도록 단계마다 '수특강'을 구성하고 있습니다.
계산은 문제를 해결하는 하나의 과정으로서의 의미가 큽니다.

학교에서 배우게 될 내용과 직접적으로 관련이 있는 교과연산으로 가장 먼저 시작하기를 추천드립니다.
요즘 연산은 교과 연산입니다.

"계산은 그 자체가 목적이 아닙니다. 문제를 해결하는 하나의 과정입니다."

하루 한 장, 75일에 완성하는 교과연산

한 단계는 총 4권으로 수를 학습하는 0권과 연산을 학습하는 1권, 2권, 3권으로 구성되어 있습니다.

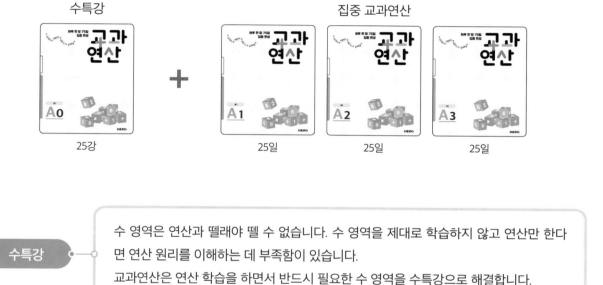

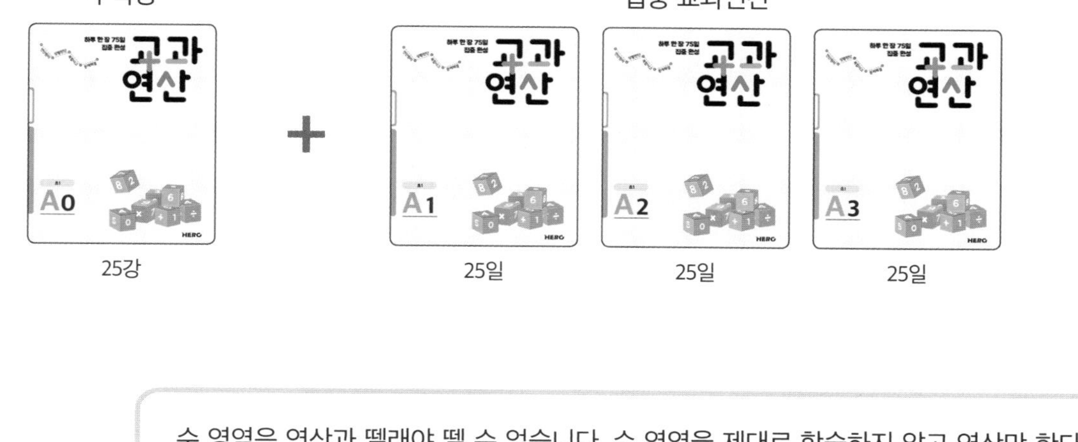

수특강

수 영역은 연산과 뗄래야 뗄 수 없습니다. 수 영역을 제대로 학습하지 않고 연산만 한다면 연산 원리를 이해하는 데 부족함이 있습니다.
교과연산은 연산 학습을 하면서 반드시 필요한 수 영역을 수특강으로 해결합니다.

교과연산

기초 연산도 합니다. 연산 원리를 이해하고 계산 연습도 합니다. 그에 더해서 교과연산은 다양한 상황 문제를 제시하여 상황에 맞는 식을 세우고 문제를 해결하는 상황 판단 능력을 길러줍니다.

"연산을 이해하기 위해서는 수를 먼저 이해해야 합니다."

원리는 **기본, 복합적 사고 문제**까지 다루는 **교과연산**

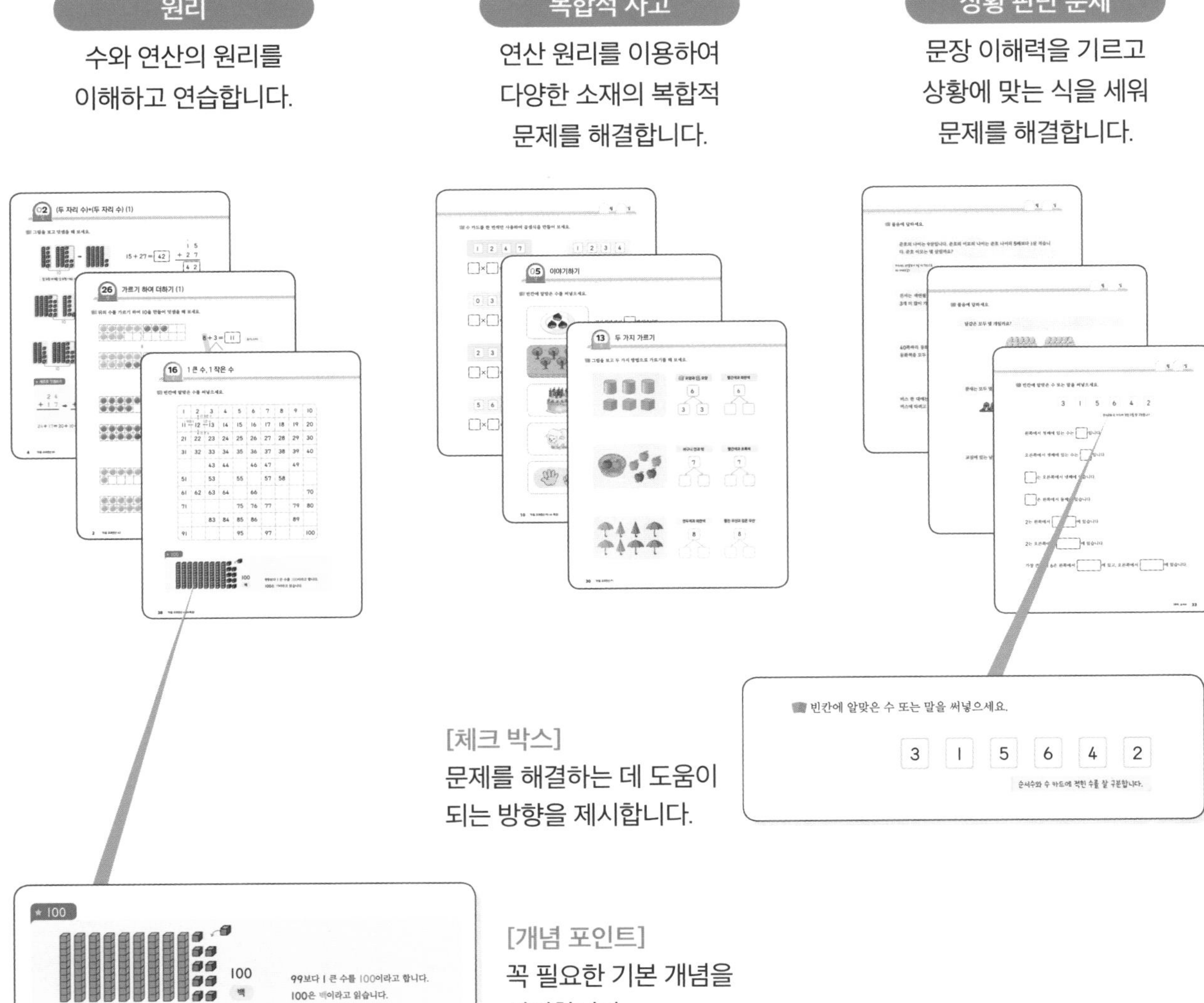

원리
수와 연산의 원리를
이해하고 연습합니다.
복합적 사고
연산 원리를 이용하여
다양한 소재의 복합적
문제를 해결합니다.
상황 판단 문제
문장 이해력을 기르고
상황에 맞는 식을 세워
문제를 해결합니다.
빈칸에 알맞은 수 또는 말을 써넣으세요.
3 1 5 6 4 2
순서수와 수 카드에 적힌 수를 잘 구분합니다.
[체크 박스]
문제를 해결하는 데 도움이
되는 방향을 제시합니다.
★ 100
100
백
99보다 1 큰 수를 100이라고 합니다.
100은 백이라고 읽습니다.
[개념 포인트]
꼭 필요한 기본 개념을
설명합니다.

"교과연산은 꼬이고 꼬인 어려운 연산이 아닙니다.
일상 생활 속에서 상황을 판단하는 능력을 길러주는 연산입니다."

하루 한 장, 75일 집중 완성 교과연산 묻고 답하기

Q1 왜 교과연산인가요?

지금의 교과서는 과거의 교과서와는 많이 다릅니다. 하지만 아쉽게도 기존의 연산학습지는 과거의 연산 학습 방법을 그대로 답습하고 변화를 제대로 반영하지 못하고 있습니다. 교과연산은 교과서의 변화를 정확히 이해하고 체계적으로 학습을 할 수 있도록 안내합니다.

Q2 다른 연산 교재와 어떻게 다른가요?

교과연산은 변화된 교과서의 핵심 내용인 상황 판단 능력과 복합적 사고력을 길러주는 최신 연산 프로그램입니다. 또한 연산 학습의 바탕이 되는 '수'를 수특강으로 다루고 있어 수학의 기본이 되는 연산학습을 체계적으로 학습할 수 있습니다.

Q3 학교 진도와는 맞나요?

네, 교과연산은 학교 수업 진도와 최신 개정된 교과 단원에 맞추어 개발하였습니다.

Q4 단계 선택은 어떻게 해야 할까요?

권장 연령의 학습을 추천합니다.
다만, 처음 교과 연산을 시작하는 학생이라면 한 단계 낮추어 시작하는 것도 좋습니다.

Q5 '수특강'을 먼저 해야 하나요?

'수특강'을 가장 먼저 학습하는 것을 권장합니다. P단계를 예로 들어보면 P0(수특강)을 먼저 학습한 후 차례대로 P1~P3 학습을 진행합니다. '수특강'은 각 단계의 연산 원리와 개념을 정확하게 이해하고 상황 문제를 해결하는 데 디딤돌이 되어줄 것입니다.

이 책의 차례

01일~05일

1주차 10이 되는 더하기

합이 10인 덧셈식

그림을 보고 10이 되는 덧셈식을 써 보세요.

$1 + \boxed{9} = 10$

$2 + \boxed{8} = 10$

$3 + \boxed{} = 10$

$4 + \boxed{} = 10$

$5 + \boxed{} = 10$

$6 + \boxed{} = 10$

$7 + \boxed{} = 10$

$8 + \boxed{} = 10$

$9 + \boxed{} = 10$

초록색 구슬과 노란색 구슬의 수를 더해 보세요.

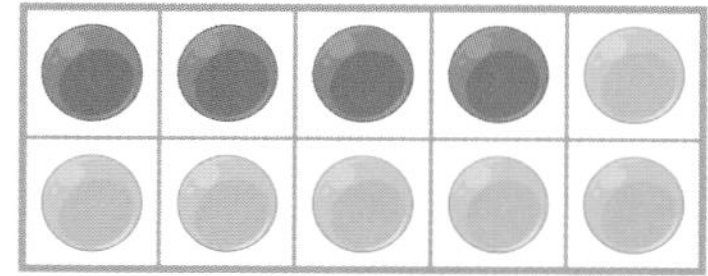

4 + 6 = □

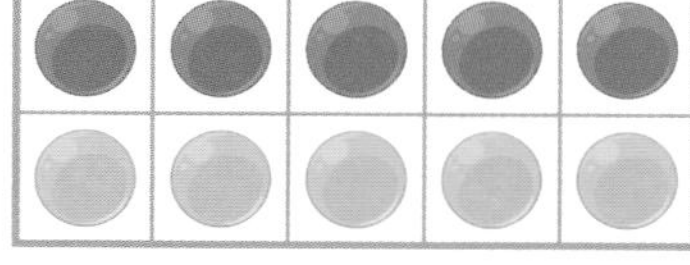

5 + 5 = □

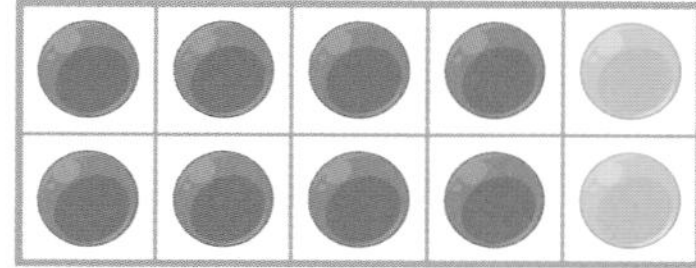

8 + □ = □

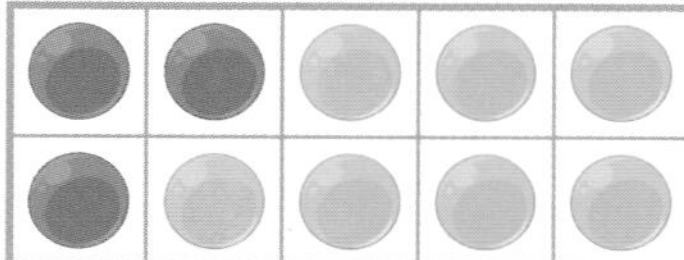

3 + □ = □

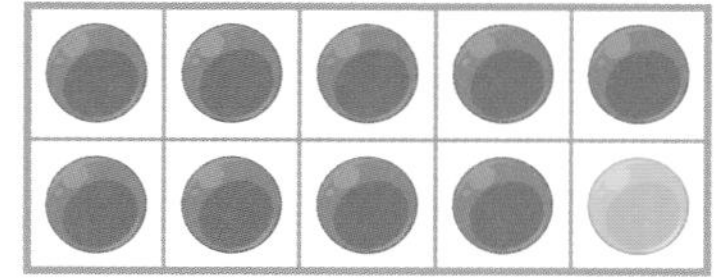

□ + □ = □

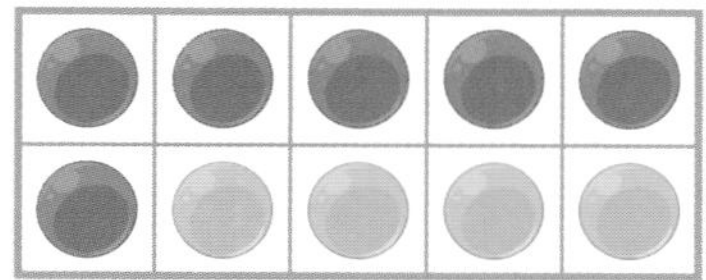

□ + □ = □

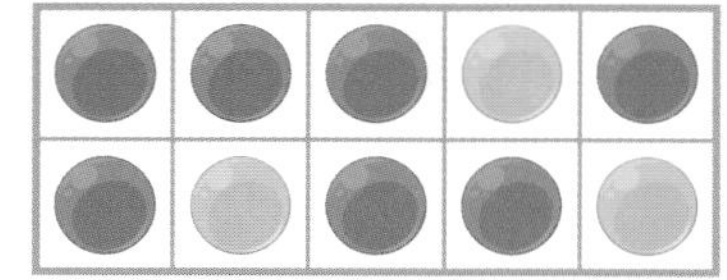

□ + □ = □

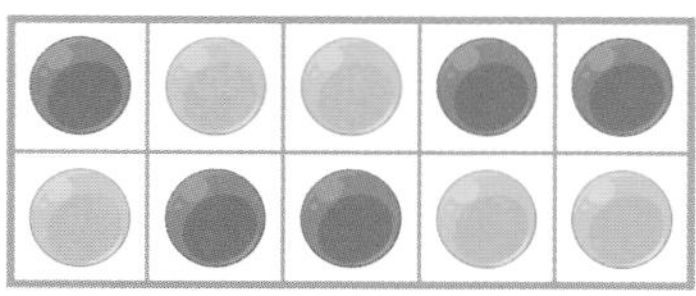

□ + □ = □

02 일 덧셈식 만들기

그림에 알맞은 덧셈식을 만들어 보세요.

6 + ☐ = 10

빨간 사과가 6개, 초록 사과가 4개 입니다. 사과는 모두 10개입니다.

8 + ☐ = 10

사과가 8개 있는데 2개 더 놓으면 모두 10개가 됩니다.

☐ + ☐ = 10

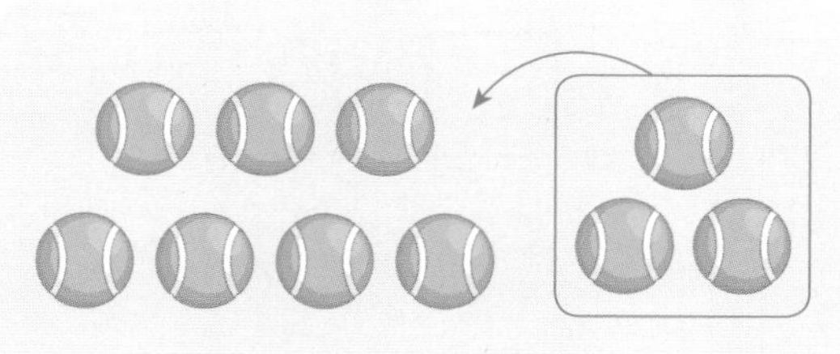

☐ + ☐ = 10

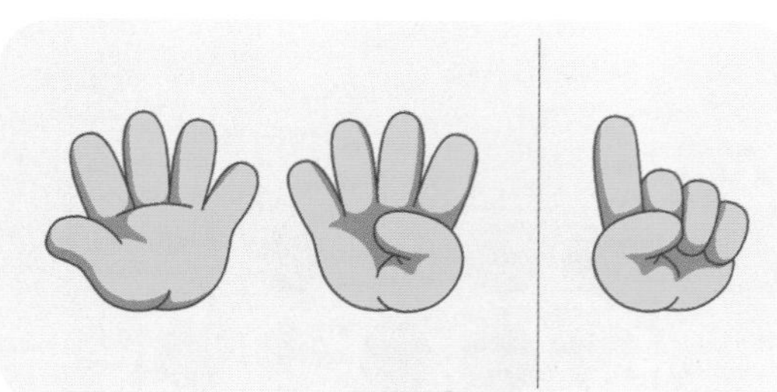

☐ + ☐ = 10

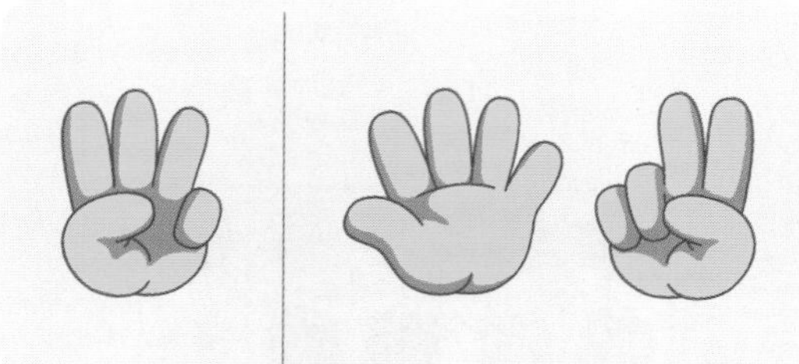

☐ + ☐ = 10

덧셈식을 써 보세요.

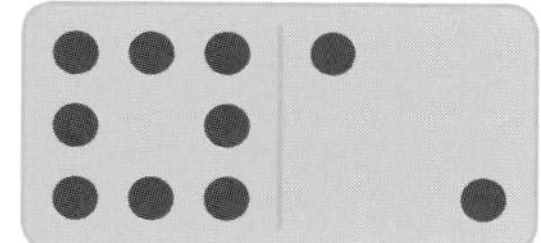

8 + 2 = 10

5 + □ = 10

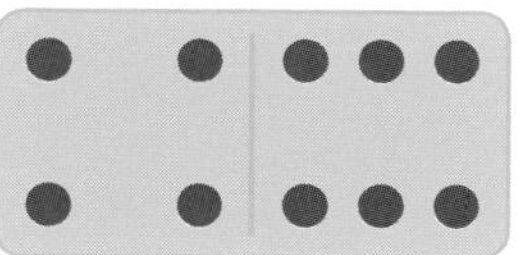

4 + □ = 10

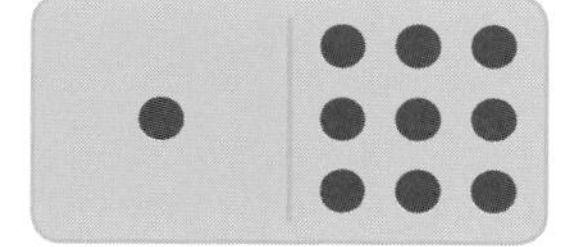

□ + □ = 10

□ + □ = 10

□ + □ = 10

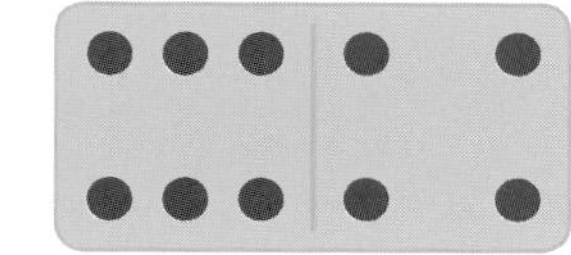

□ + □ = □

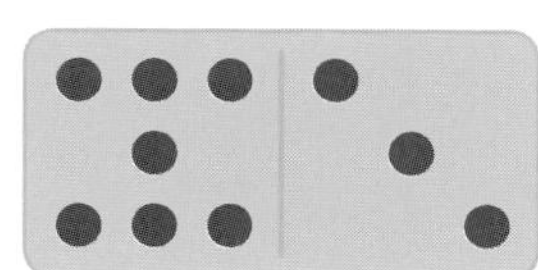

□ + □ = □

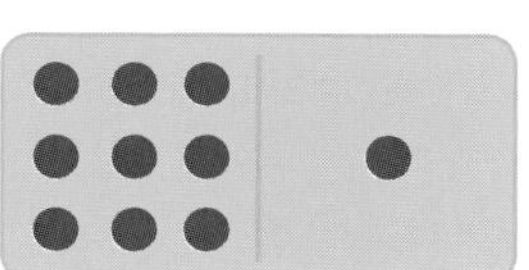

□ + □ = □

합이 10인 두 수 (1)

합이 10이 되는 칸을 모두 색칠해 보세요.

7+2		
4+6	5+5	
9+0	9+1	5+4

합이 10인 두 수 (1, 9), (2, 8), (3, 7), (4, 6), (5, 5), (6, 4), (7, 3), (8, 2), (9, 1)은 덧셈에서 많이 활용되므로 외우는 것이 좋습니다.

2+6	5+5	1+8
2+8	0+9	7+3
7+2	4+6	6+3

		2+8		
	6+3	1+9	7+2	
3+7	5+4	6+2	8+1	5+5
	8+2	3+6	6+4	
		0+9		

빈칸에 들어갈 수를 찾아 이어 보세요.

$9+\square=10$	1		$\square+3=10$	5
$6+\square=10$	3		$\square+5=10$	6
$7+\square=10$	4		$\square+4=10$	7

$5+\square=10$	6		$\square+1=10$	2
$\square+6=10$	5		$2+\square=10$	8
$4+\square=10$	4		$\square+8=10$	9

합이 10인 두 수 (2)

가로, 세로, 대각선으로 더해서 10이 되는 두 수를 묶어 보세요.

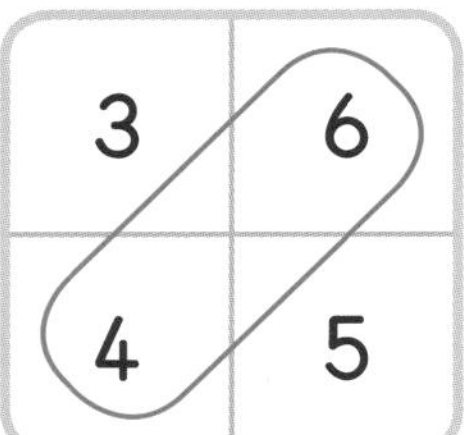

9	1
8	3

4	5
7	5

2	7
1	8

3	6
5	7

3	8
6	4

5	5
6	3

8	1
9	3

1	8
7	2

3	4
6	5

7	2
3	6

9	3
8	1

월 일

가로, 세로, 대각선으로 이웃한 두 수를 더해서 10이 되는 수를 모두 찾아 묶어 보세요.

10

1	2	3	5
8	4	1	9
9	7	4	5
3	5	6	8

10

1	5	5	7
6	3	4	3
1	4	8	9
3	2	4	5

10

7	6	2	5
2	9	3	8
5	1	4	6
8	5	1	2

10

1	4	3	5
2	5	7	1
8	4	2	1
3	5	6	9

05 일 이야기하기

물음에 답하세요.

양손에 있는 구슬은 모두 몇 개인지 덧셈식으로 나타내어 보세요.

구슬이 왼손에 7개,
오른손에 3개 있습니다.

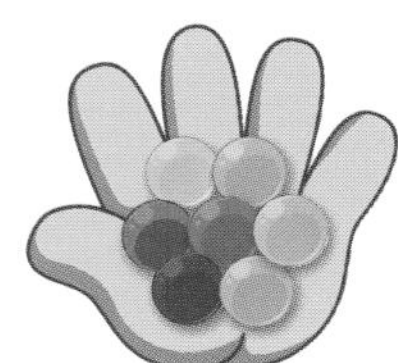

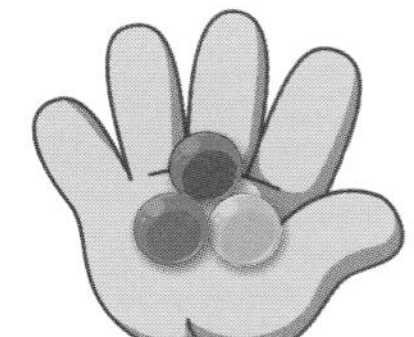

□ + □ = □

갈색 달걀과 흰색 달걀은 모두 몇 개인지 덧셈식으로 나타내어 보세요.

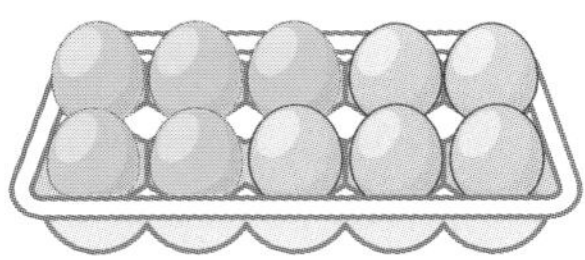

□ + □ = □

윤아와 민석이가 펼친 손가락은 모두 몇 개인지 덧셈식으로 나타내어 보세요.

윤아

민석

□ + □ = □

물음에 답하세요.

딸기 맛 아이스크림이 2개, 초코 맛 아이스크림이 8개 있습니다. 아이스크림은 모두 몇 개 있을까요?

식 $2+8=10$ 답 10 개

버스에 5명이 타고 있었는데 학교 앞 정류장에서 5명이 더 탔습니다. 버스에 타고 있는 사람은 모두 몇 명일까요?

식 ________ 답 ____ 명

서희는 어제 동화책을 9쪽 읽고 오늘 1쪽 읽었습니다. 서희가 어제와 오늘 읽은 동화책은 모두 몇 쪽일까요?

식 ________ 답 ____ 쪽

종이배를 접는 데 색종이 3장, 종이학을 접는 데 색종이 7장을 사용했습니다. 종이배와 종이학을 접는 데 사용한 색종이는 모두 몇 장일까요?

식 ________ 답 ____ 장

■ 물음에 답하세요.

어떤 수에서 4를 빼야 할 것을 잘못하여 더했더니 10이 되었습니다. 바르게 계산한 값은 얼마일까요?

어떤 수를 □로 하여 잘못된 식을 세우고 어떤 수를 구합니다.

잘못된 계산식 $\square + 4 = 10$ 어떤 수 6

올바른 계산식 $6 - 4 = 2$ 바르게 계산한 값 2

어떤 수에서 1을 빼야 할 것을 잘못하여 더했더니 10이 되었습니다. 바르게 계산한 값은 얼마일까요?

잘못된 계산식 ______ 어떤 수 ______

올바른 계산식 ______ 바르게 계산한 값 ______

어떤 수에서 5를 빼야 할 것을 잘못하여 더했더니 10이 되었습니다. 바르게 계산한 값은 얼마일까요?

잘못된 계산식 ______ 어떤 수 ______

올바른 계산식 ______ 바르게 계산한 값 ______

06일 ~ 10일

2주차 10에서 빼기

10에서 몇 빼기

그림을 보고 뺄셈을 해 보세요.

$10 - 1 =$ 9

$10 - 2 =$ 8

$10 - 3 =$ ☐

$10 - 4 =$ ☐

$10 - 5 =$ ☐

$10 - 6 =$ ☐

$10 - 7 =$ ☐

$10 - 8 =$ ☐

$10 - 9 =$ ☐

지우고 남은 구슬은 몇 개인지 뺄셈식을 써 보세요.

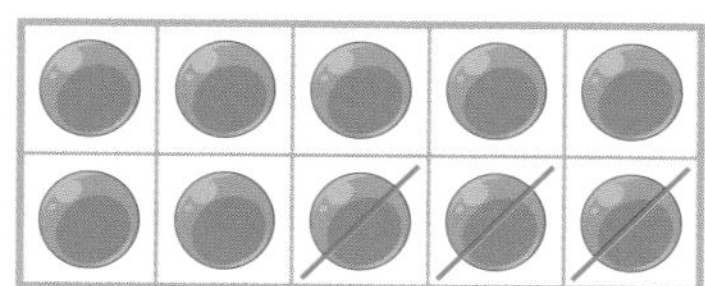

10 − 3 = ☐

구슬 10개에서 3개를 지우면 7개 남습니다.

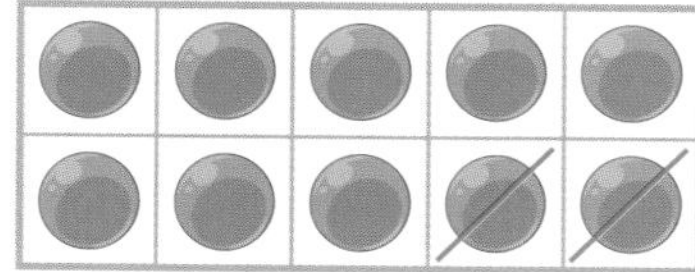

10 − 2 = ☐

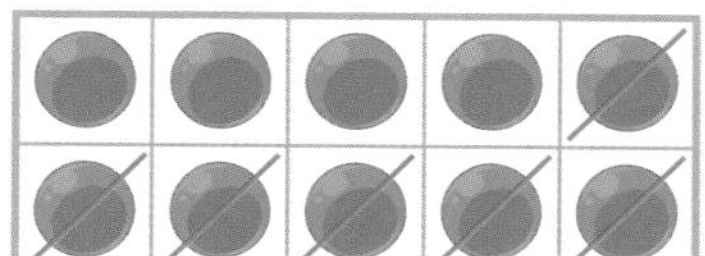

10 − 6 = ☐

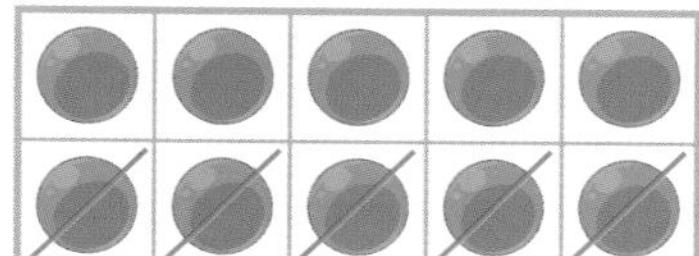

10 − 5 = ☐

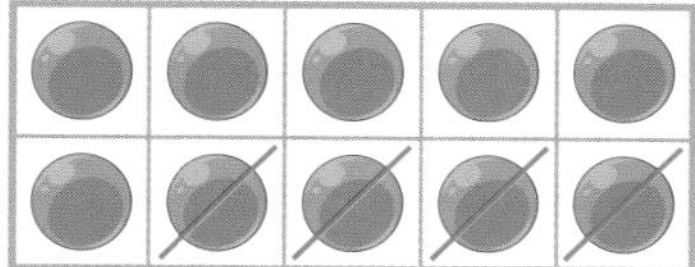

10 − ☐ = ☐

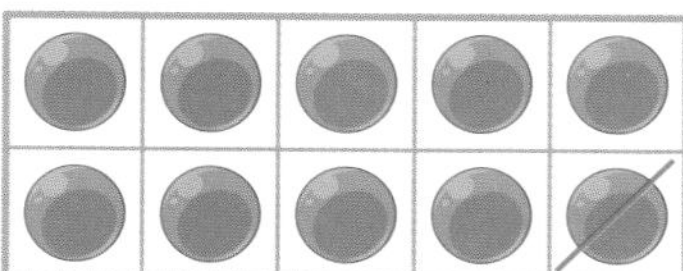

10 − ☐ = ☐

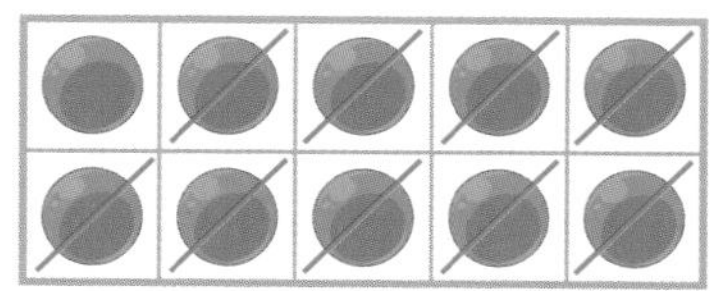

☐ − ☐ = ☐

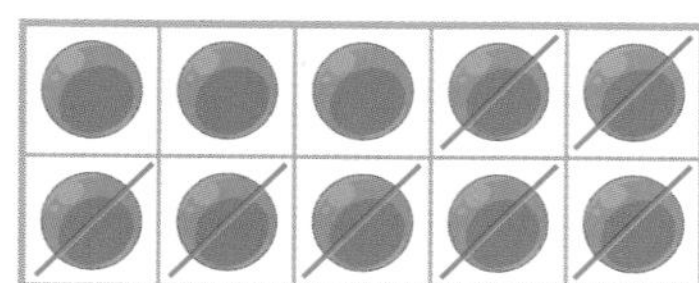

☐ − ☐ = ☐

07일 뺄셈식 만들기

그림을 보고 뺄셈식을 써 보세요.

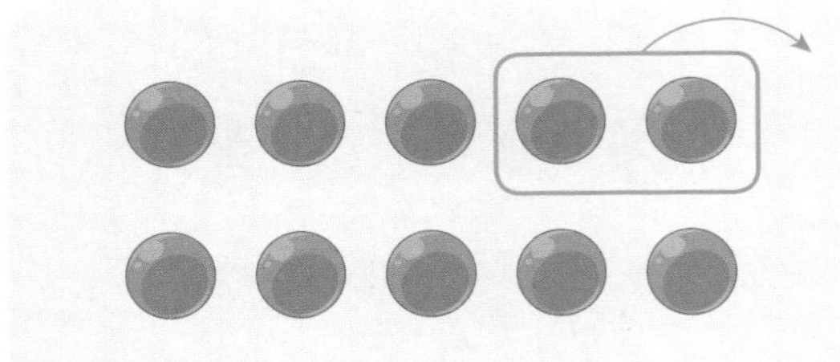

10 − 2 = □

구슬 10개에서 2개를 빼면 8개 남습니다.

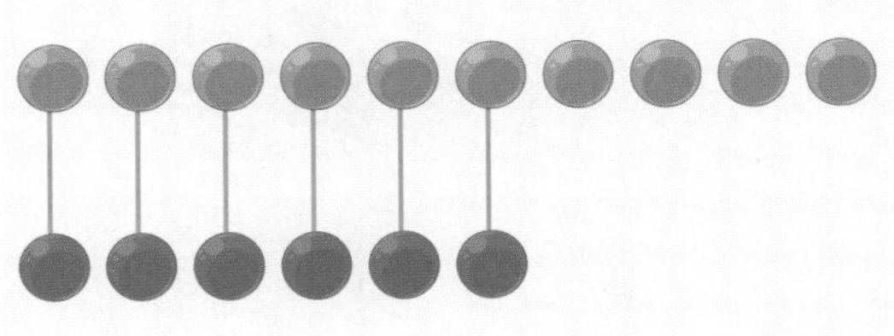

10 − 6 = □

파란색 구슬이 10개, 보라색 구슬이 6개입니다.
파란색 구슬은 보라색 구슬보다 4개 더 많습니다.

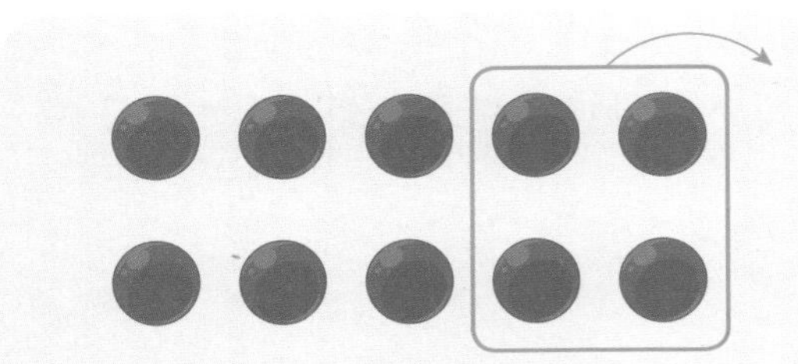

10 − □ = □

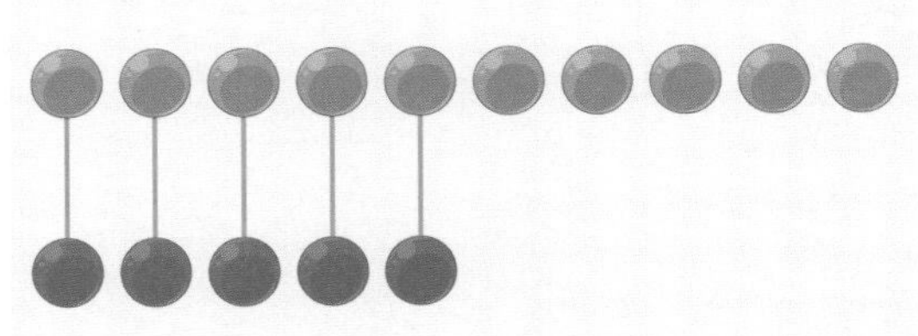

10 − □ = □

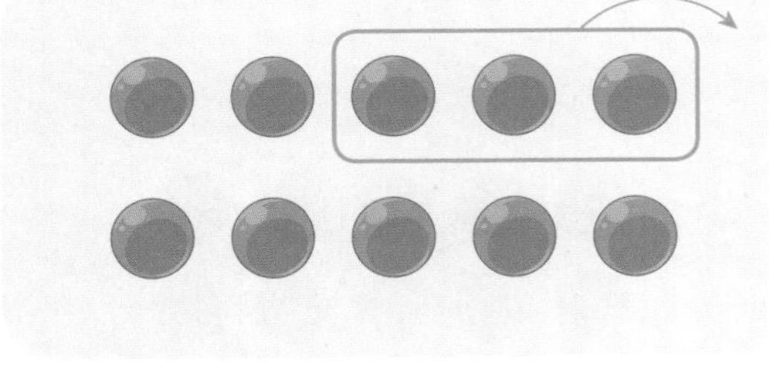

□ − □ = □

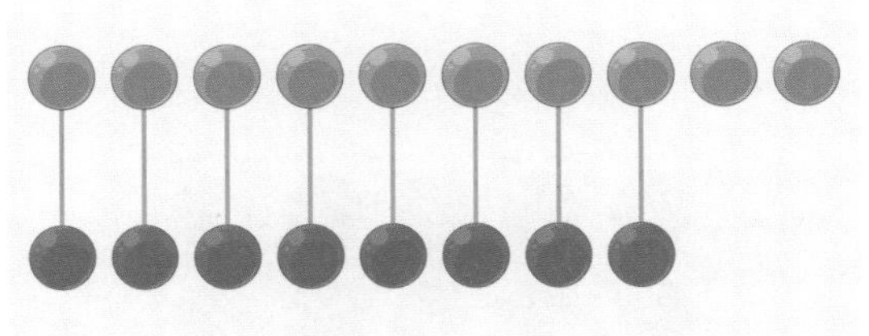

□ − □ = □

그림을 보고 뺄셈식을 써 보세요.

10 − ☐ = ☐

10 − ☐ = ☐

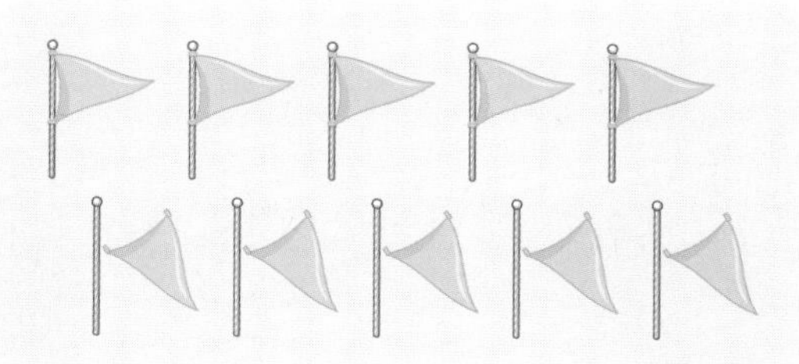

10 − ☐ = ☐

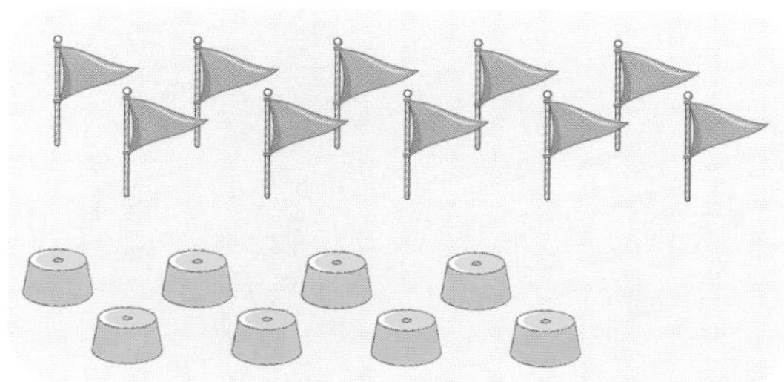

10 − ☐ = ☐

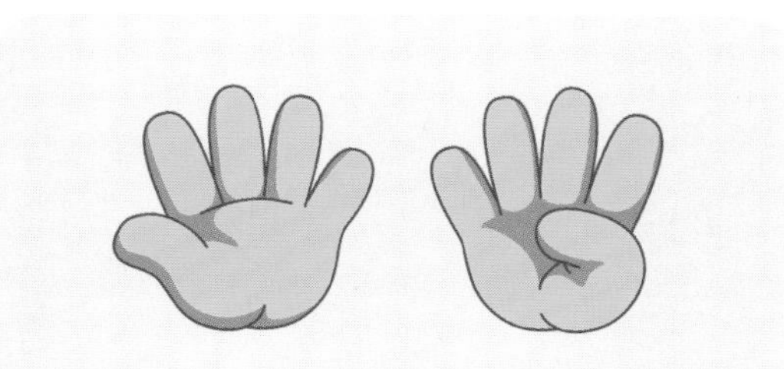

10 − ☐ = ☐

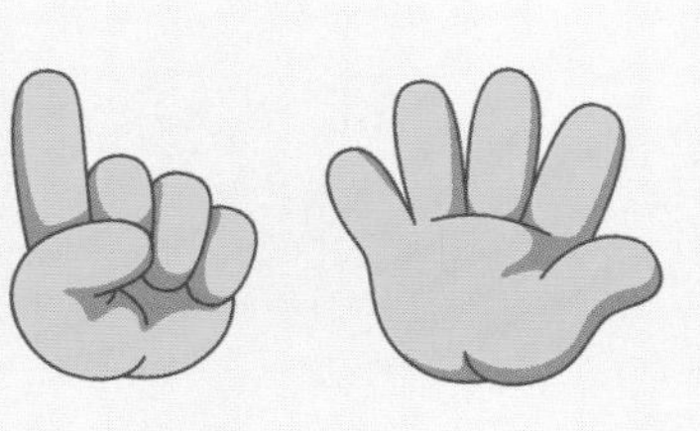

10 − ☐ = ☐

08 일 이야기하기

물음에 답하세요.

두 손에 있는 구슬은 모두 10개입니다. 왼손에 있는 구슬은 몇 개인지 뺄셈식으로 나타내어 보세요.

구슬이 모두 10개인데 오른손에 4개 있으므로 왼손에는 6개 있습니다.

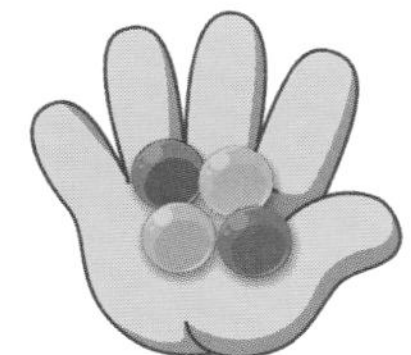

□ − □ = □

공이 모두 10개 있습니다. 상자 안에 있는 공은 몇 개인지 뺄셈식으로 나타내어 보세요.

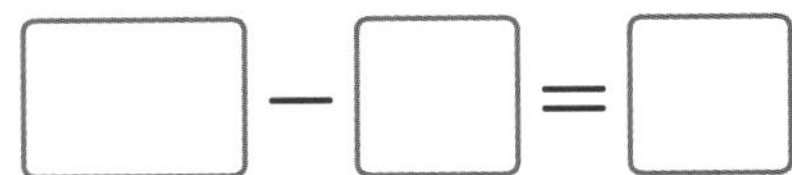

접은 손가락은 몇 개인지 뺄셈식으로 나타내어 보세요.

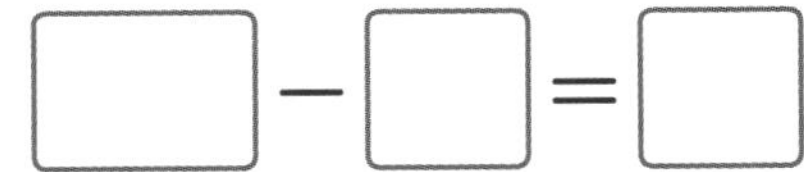

물음에 답하세요.

색종이가 10장 있습니다. 선물을 포장하는 데 색종이 7장을 사용한다면 몇 장이 남을까요?

식 $10-7=3$ 답 3 장

달걀이 10개 있습니다. 상우가 달걀을 2개 먹는다면 몇 개가 남을까요?

식 답 개

사탕이 10개 있었는데 시유가 몇 개 먹었더니 4개가 남았습니다. 시유가 먹은 사탕은 몇 개일까요?

식 답 개

모자가 3개, 목도리가 10개 있습니다. 목도리는 모자보다 몇 개 더 많을까요?

식 답 개

09 일 식 만들기

세 수를 모두 이용하여 덧셈식과 뺄셈식을 하나씩 써 보세요.

6, 4, 10	$4 + 6 = 10$	$\square - \square = \square$
10, 8, 2	$\square + \square = \square$	$\square - \square = \square$
3, 10, 7	$\square + \square = \square$	$\square - \square = \square$
1, 9, 10	$\square + \square = \square$	$\square - \square = \square$

상자 안과 밖에 있는 구슬은 모두 10개입니다. 그림을 보고 덧셈식과 뺄셈식을 하나씩 써 보세요.

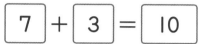

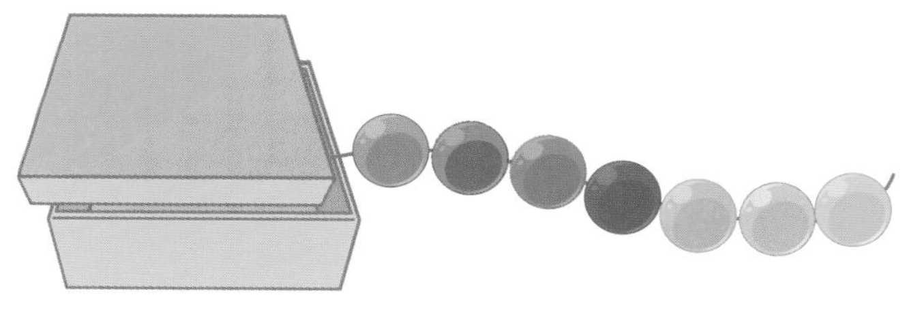

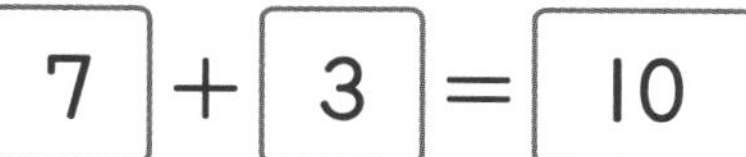

□ − □ = □

구슬이 모두 10개인데 상자 밖에 7개 있으므로 상자 안에는 3개 있습니다.

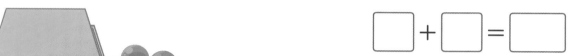

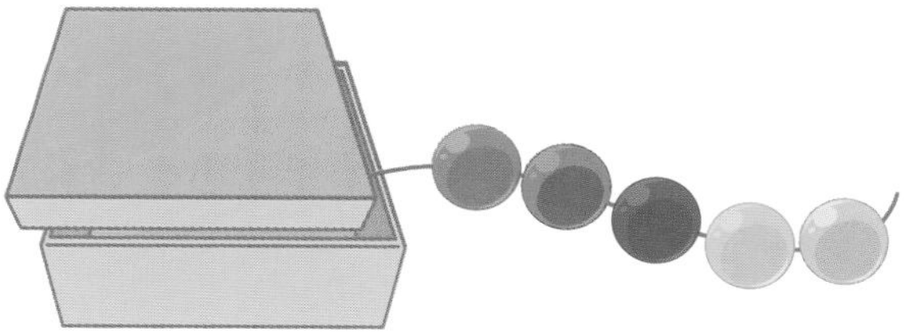

□ + □ = □

□ − □ = □

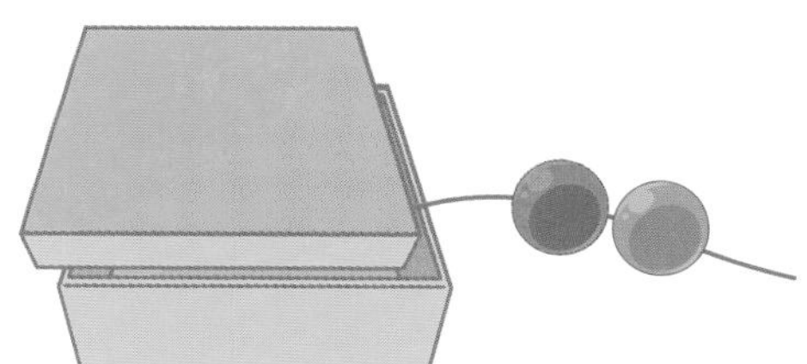

□ + □ = □

□ − □ = □

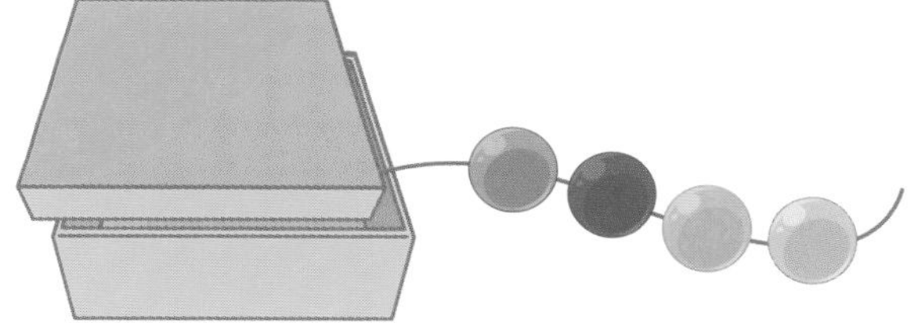

□ + □ = □

□ − □ = □

10 일

모양이 나타내는 수

★이 나타내는 수를 구하세요.

$10 - ★ = 9$

★ = 1

10-1=9

$10 - ★ = 7$

★ = □

$10 - ★ = 5$

★ = □

$10 - ★ = 3$

★ = □

$10 - ★ = 4$

★ = □

$10 - ★ = 8$

★ = □

$10 - ★ = 6$

★ = □

$10 - ★ = 1$

★ = □

☆과 ●은 어떤 수를 나타냅니다. 빈칸에 알맞은 수를 써넣으세요.

$10-☆=8$ (2)
$3+●=10$ (7)
$☆+●=$ 9

$10-☆=5$
$7+●=10$
$☆+●=\square$

$10-☆=2$
$6+●=10$
$☆-●=\square$

$10-☆=3$
$9+●=10$
$☆-●=\square$

$10-☆=9$
$●+8=10$
$☆+●=\square$

$10-☆=7$
$●+7=10$
$☆+●=\square$

물음에 답하세요.

■ 모양은 ● 모양보다 몇 개 더 많을까요?

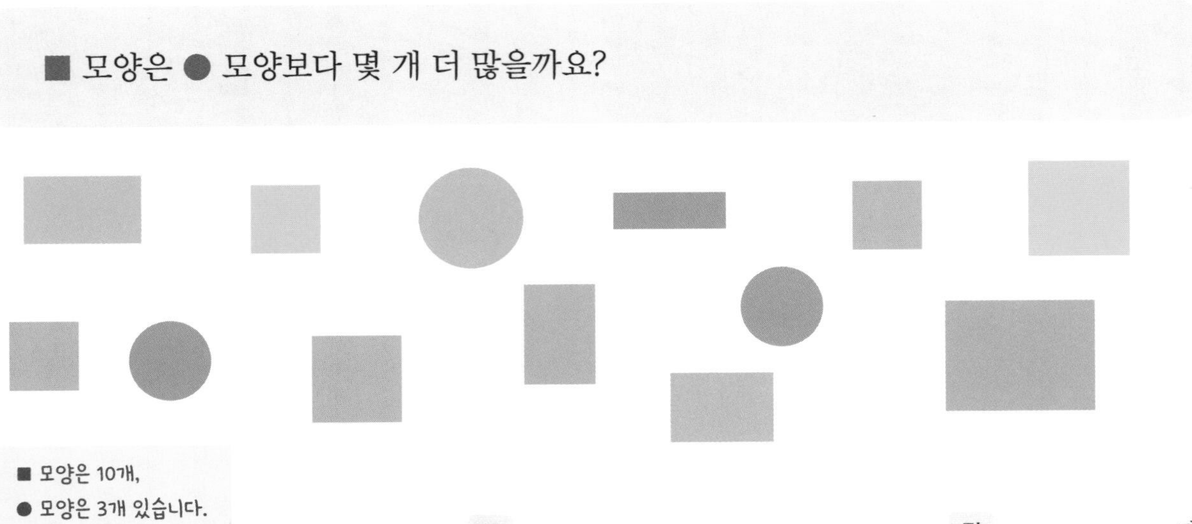

■ 모양은 10개,
● 모양은 3개 있습니다.

식 ____________ 답 ______ 개

● 모양은 ▲ 모양보다 몇 개 더 많을까요?

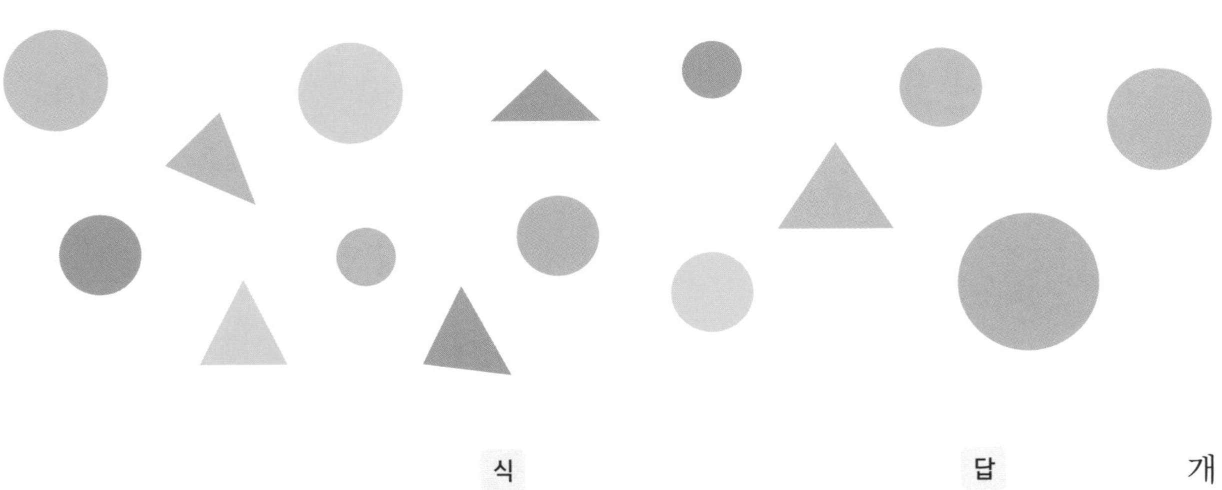

식 ____________ 답 ______ 개

11일~15일

3주차 10 만들어 더하기 (1)

11 일 10에서 더하기

그림을 보고 덧셈을 해 보세요.

$10 + 1 = $ 11

$10 + 2 = $ ☐

$10 + 3 = $ ☐

$10 + 4 = $ ☐

$10 + 5 = $ ☐

$10 + 6 = $ ☐

$10 + 7 = $ ☐

$10 + 8 = $ ☐

$10 + 9 = $ ☐

10을 두 수로 가르기 하여 세 수의 덧셈으로 만들어 보세요.

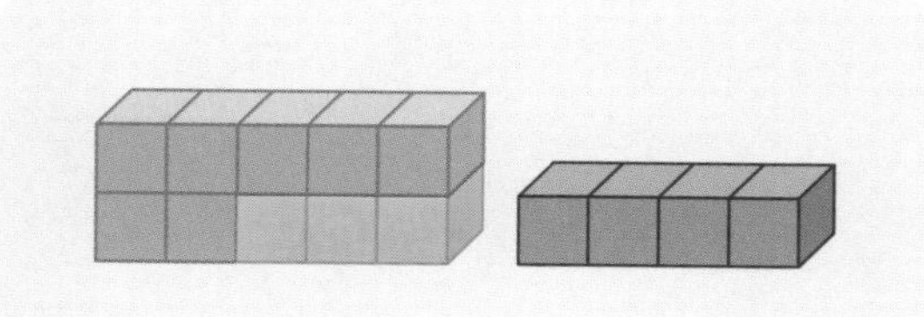

$10 + 4 =$ [14]

$7 +$ [3] $+ 4 =$ [14]

10을 7과 3으로 가르기 하여 세 수의 덧셈으로 바꿀 수 있습니다.

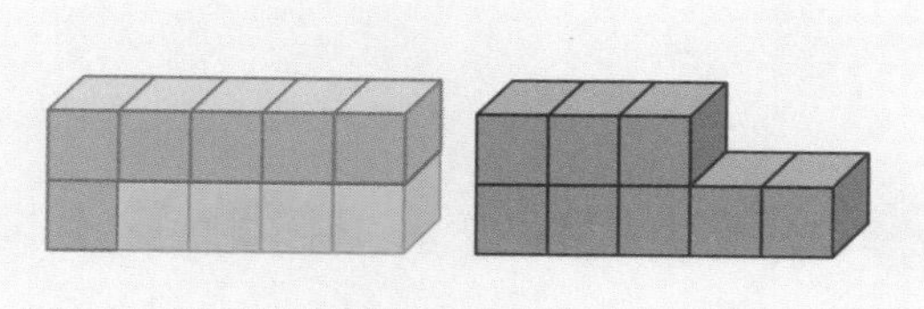

$10 + 8 =$ [ ]

$6 +$ [ ] $+ 8 =$ [ ]

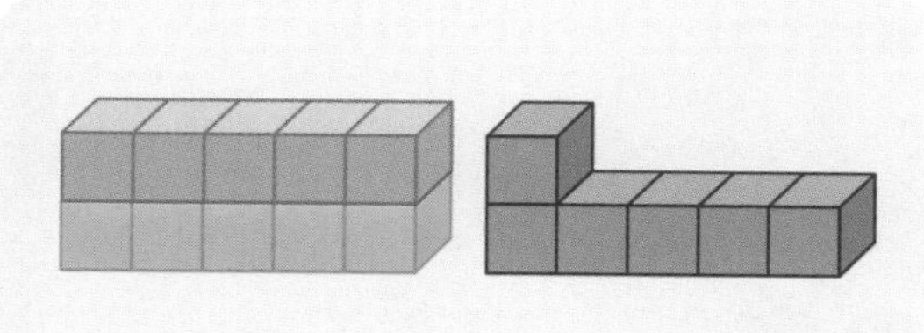

$10 + 6 =$ [ ]

[ ] $+ 5 + 6 =$ [ ]

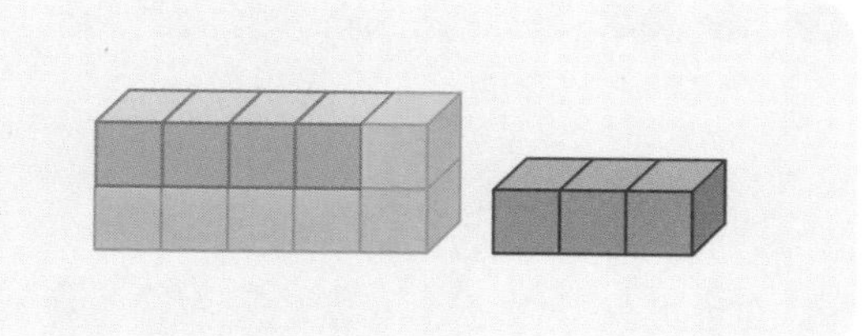

$10 + 3 =$ [ ]

[ ] $+ 6 + 3 =$ [ ]

12 일 바꾸어 더하기

덧셈을 해 보세요.

$10 + 1 = \square$

$1 + 10 = \square$

두 수를 바꾸어 더해도 결과는 같습니다.

$10 + 2 = \square$

$2 + 10 = \square$

$10 + 3 = \square$

$3 + 10 = \square$

$10 + 4 = \square$

$4 + 10 = \square$

$10 + 5 = \square$

$5 + 10 = \square$

10을 두 수로 가르기 하여 세 수의 덧셈으로 만들어 보세요.

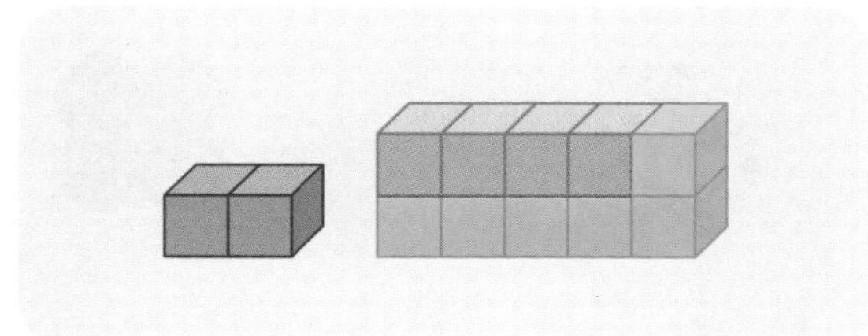

2 + 10 = [12]

2 + [4] + 6 = [12]

10을 4와 6으로 가르기하여 세 수의 덧셈으로 바꿀 수 있습니다.

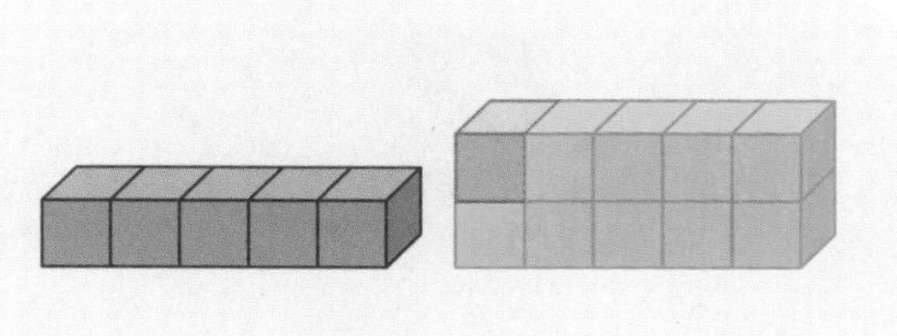

5 + 10 = [ ]

5 + [ ] + 9 = [ ]

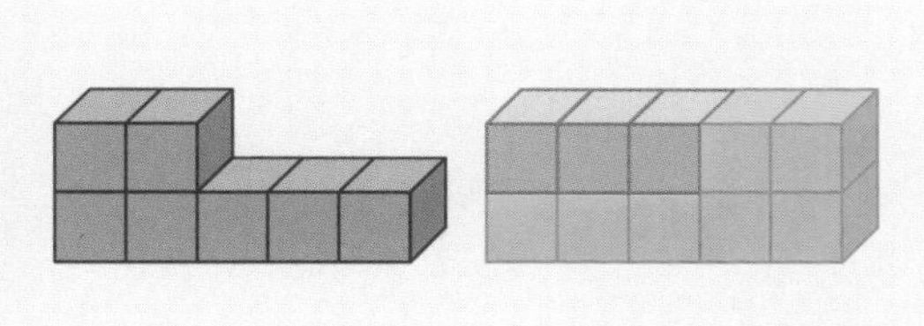

7 + 10 = [ ]

7 + 3 + [ ] = [ ]

9 + 10 = [ ]

9 + 5 + [ ] = [ ]

13일 앞의 두 수로 10 만들기

계산해 보세요.

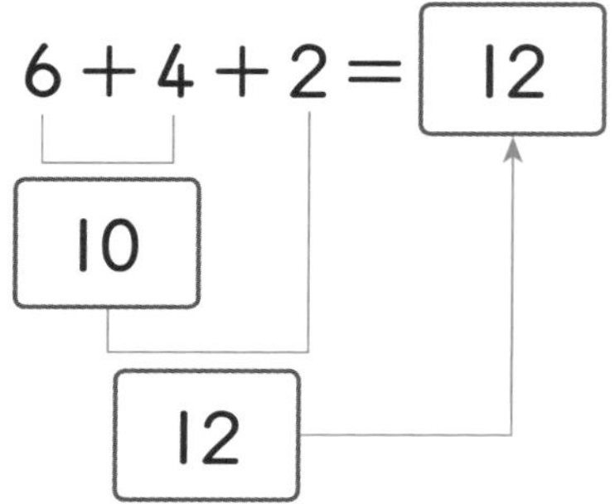

$6 + 4 + 2 = 12$ (10, 12)

10이 되는 두 수를 먼저 더하고 남은 수를 더합니다.

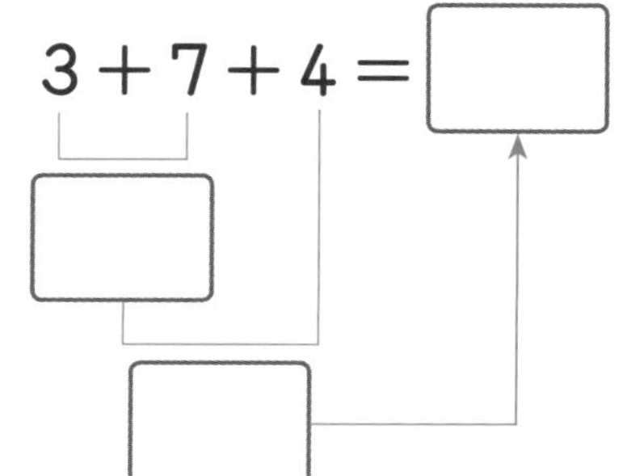

$3 + 7 + 4 = \square$

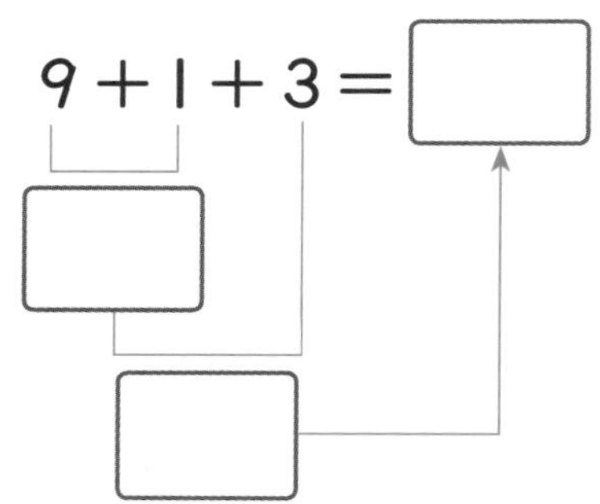

$9 + 1 + 3 = \square$

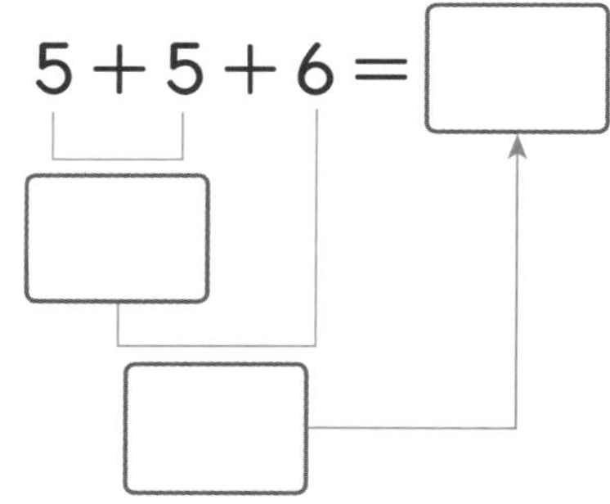

$5 + 5 + 6 = \square$

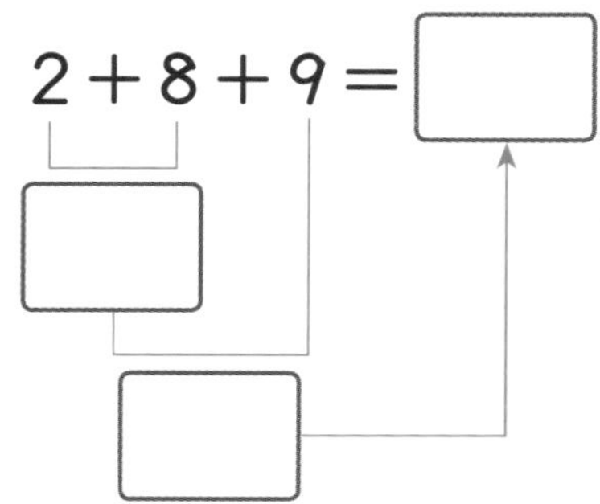

$2 + 8 + 9 = \square$

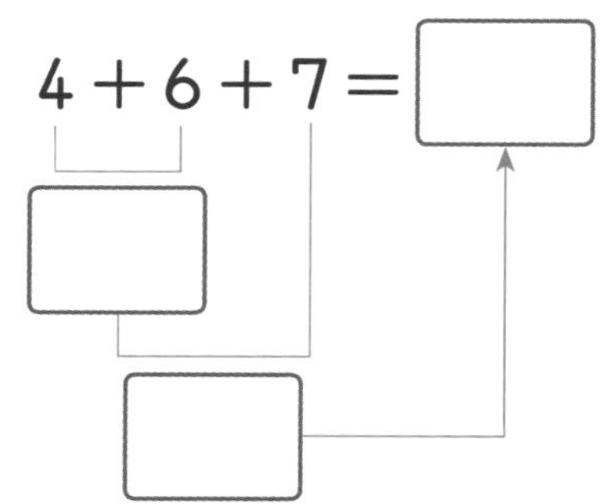

$4 + 6 + 7 = \square$

합이 같은 것끼리 이어 보세요.

$8+2+4$	$10+1$	18
$6+4+5$	$10+5$	11
$1+9+1$	$10+4$	12
$5+5+3$	$10+8$	15
$3+7+2$	$10+3$	14
$2+8+8$	$10+2$	13

14 일 뒤의 두 수로 10 만들기

계산해 보세요.

6 + 8 + 2 = 16

10

16

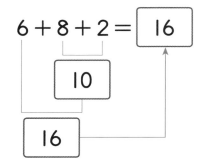

뒤의 두 수를 먼저 더해도 결과는 같습니다.

1 + 4 + 6 =

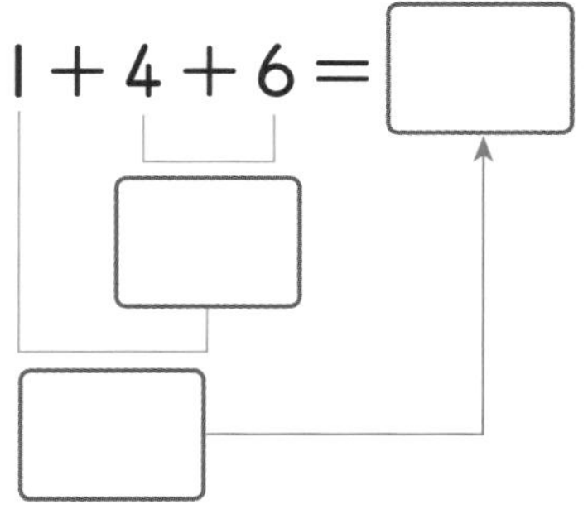

7 + 5 + 5 =

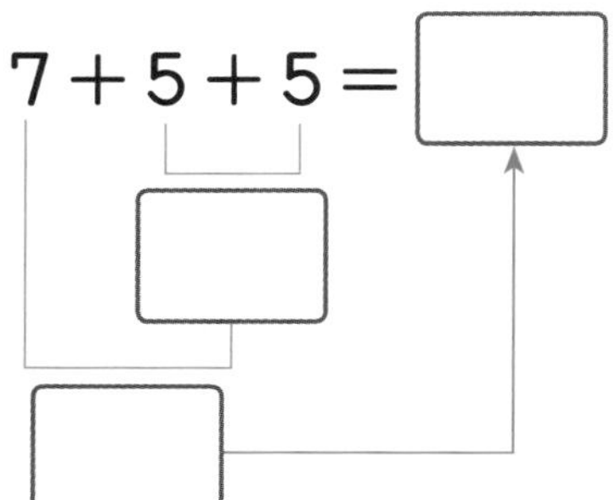

4 + 1 + 9 =

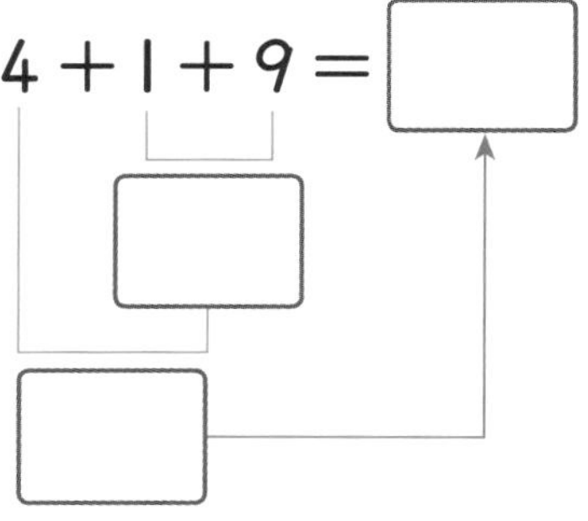

8 + 7 + 3 =

3 + 2 + 8 =

합이 같은 것끼리 이어 보세요.

2＋5＋5	4＋10	19
6＋2＋8	2＋10	14
4＋7＋3	9＋10	12
9＋6＋4	6＋10	15
7＋9＋1	5＋10	17
5＋8＋2	7＋10	16

15 일

10 만들어 세 수 더하기

계산해 보세요.

$8+2+1=\square$ (8+2=10, 10+1=11)

$1+2+8=\square$ (2+8=10, 1+10=11)

$5+3+7=\square$

$1+9+4=\square$

$4+6+6=\square$

$2+5+5=\square$

$7+3+6=\square$

$9+1+9=\square$

$6+4+8=\square$

$7+8+2=\square$

$5+9+1=\square$

$5+5+4=\square$

$3+7+2=\square$

$3+4+6=\square$

합이 10이 되는 두 수에 색칠하고 세 수를 더해 보세요.

6 4 1

(11)

6+4+1=11

3 8 2

( )

3 7 6

( )

4 5 5

( )

2 1 9

( )

2 8 7

( )

5 4 6

( )

7 3 6

( )

빈칸에 알맞은 수를 써넣으세요.

$8+\square+3=13$

10+3=13이므로 앞의 두 수를 더해서 10을 만듭니다.

$5+\square+4=15$

5+10=15이므로 뒤의 두 수를 더해서 10을 만듭니다.

$\square+5+4=14$

$1+3+\square=11$

$6+\square+1=11$

$7+\square+5=17$

$\square+7+8=18$

$9+8+\square=19$

$9+\square+5=15$

$3+\square+1=13$

16일~20일

4주차 10 만들어 더하기 (2)

- 16일 세 수 더하기
- 17일 10 만들어 세 수 더하기 (1)
- 18일 10 만들어 세 수 더하기 (2)
- 19일 이야기하기 (1)
- 20일 이야기하기 (2)

16일 세 수 더하기

점 카드에 그려진 점을 더해 보세요.

6 + 4 + 3 = 13

6+4+3=10+3=13

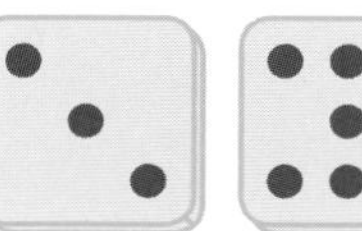

□ + □ + □ = □

□ + □ + □ = □

□ + □ + □ = □

□ + □ + □ = □

□ + □ + □ = □

수 카드의 세 수를 더해 보세요.

3 7 5 　 □ + □ + □ = □

6 4 6 　 □ + □ + □ = □

3 5 5 　 □ + □ + □ = □

8 2 9 　 □ + □ + □ = □

7 7 3 　 □ + □ + □ = □

9 1 2 　 □ + □ + □ = □

17일 10 만들어 세 수 더하기 (1)

수 카드 중 2장을 골라 써넣어 식을 완성해 보세요.

3 4 7

$\boxed{3} + \boxed{7} + 3 = 13$

10+3=13이므로 합이 10인 두 수를 찾습니다.

4 6 8

$\square + \square + 8 = 18$

1 2 9

$\square + \square + 5 = 15$

4 5 5

$\square + \square + 1 = 11$

2 7 8

$4 + \square + \square = 14$

2 4 6

$2 + \square + \square = 12$

2 3 7

$6 + \square + \square = 16$

2 8 9

$7 + \square + \square = 17$

1부터 9까지의 수 중에서 빈칸에 알맞은 수를 써넣어 여러 가지 식을 만들어 보세요.

$1 + 9 + 2 = 12$

$2 + 8 + 2 = 12$

$\square + \square + 2 = 12$

$\square + \square + 2 = 12$

$\square + \square + 2 = 12$

$6 + \square + \square = 16$

$6 + \square + \square = 16$

$6 + \square + \square = 16$

$6 + \square + \square = 16$

$6 + \square + \square = 16$

18 일

10 만들어 세 수 더하기 (2)

밑줄 친 두 수의 합이 10이 되도록 ◯ 안에 알맞은 수를 써넣고 계산해 보세요.

(5) + 5 + 8 = [18]

3 + 9 + ◯ = □

◯ + 1 + 2 = □

4 + 5 + ◯ = □

◯ + 6 + 3 = □

7 + 4 + ◯ = □

7 + ◯ + 6 = □

9 + ◯ + 8 = □

2 + ◯ + 5 = □

1 + ◯ + 3 = □

5 + ◯ + 4 = □

8 + ◯ + 1 = □

수 카드 중 2장을 골라 써넣어 만들 수 있는 식을 모두 써 보세요.

1 2 3 4

[1] + 9 + [2] = 12

[2] + 9 + [1] = 12

9와 더해서 10이 되는 수는 1입니다.

5 6 7 8

[ ] + 3 + [ ] = 15

[ ] + 3 + [ ] = 15

3 4 6 8

[ ] + 2 + [ ] = 13

[ ] + 2 + [ ] = 13

5 6 8 9

[ ] + 5 + [ ] = 18

[ ] + 5 + [ ] = 18

1 3 4 6

[ ] + 6 + [ ] = 11

[ ] + 6 + [ ] = 11

2 4 6 8

[ ] + 8 + [ ] = 16

[ ] + 8 + [ ] = 16

19 일 이야기하기 (1)

물음에 답하세요.

과일은 모두 몇 개일까요?

감 7개, 사과 3개, 귤 5개가 있습니다.
과일은 모두 15개입니다.

식 $7+3+5=15$ 답 15 개

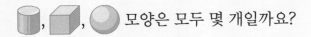

▯, ▯, ○ 모양은 모두 몇 개일까요?

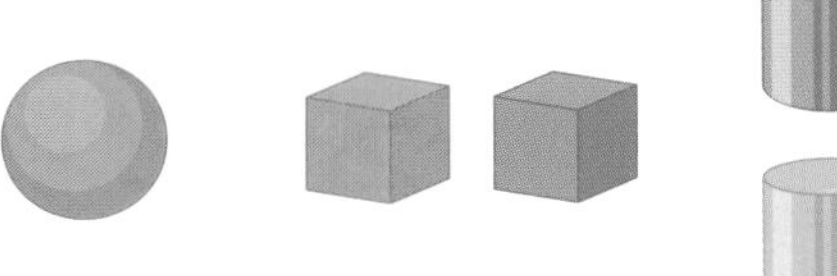
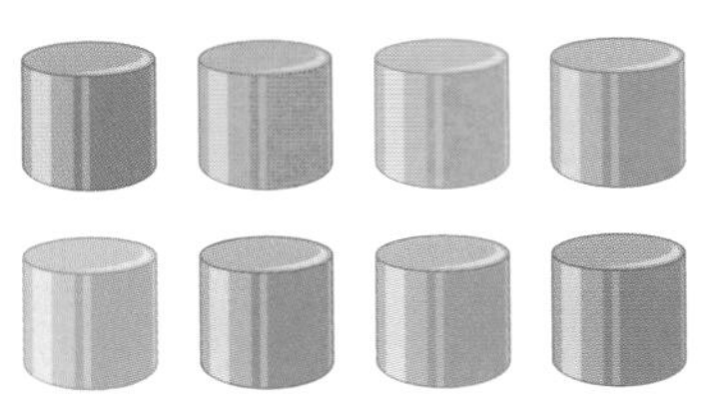

식 ______ 답 ______ 개

게임말을 **4**번째 칸에서 두 번 더 움직였습니다. 게임말은 몇 번째 칸에 있을까요?

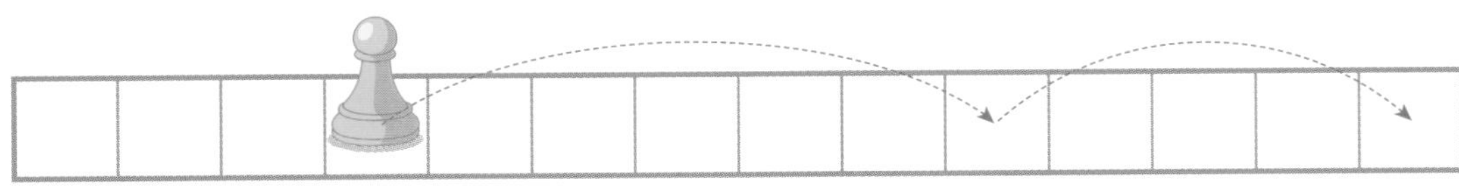

식 ______ 답 ______ 번째

물음에 답하세요.

도경이가 주사위를 세 번 던졌습니다. 주사위 눈의 수를 모두 더하면 얼마일까요?

식 ______ 답 ______

책장에 꽂혀 있는 책의 수를 나타낸 것입니다. 책은 모두 몇 권일까요?

동화책	만화책	위인전
6권	8권	2권

식 ______ 답 ______ 권

글자는 모두 몇 글자일까요?

비눗방울 날아라 바람 타고 동동동

식 ______ 답 ______ 글자

이야기하기 (2)

물음에 답하세요.

선반에 파란색 모자 2개, 검은색 모자 8개, 흰색 모자 4개가 있습니다. 선반에 있는 모자는 모두 몇 개일까요?

구하려는 것이 무엇인지 파악합니다.

식 $2+8+4=14$ 답 14 개

책장에 위인전 7권, 동화책 6권, 만화책 4권이 꽂혀 있습니다. 책장에 꽂혀 있는 책은 모두 몇 권일까요?

식 ______ 답 ______ 권

색종이 5장으로 종이배를 접고 1장으로 종이학을 접고 9장으로 종이비행기를 접었습니다. 색종이는 모두 몇 장 사용했을까요?

식 ______ 답 ______ 장

지우가 초콜릿을 아침에 5개, 저녁에 5개 먹었더니 3개 남았습니다.
처음에 초콜릿은 몇 개 있었을까요?

식 ______ 답 ______ 개

물음에 답하세요.

성민이네 집에 사과가 6개 있었는데 어머니께서 7개, 아버지께서 3개 더 사오셨습니다. 성민이네 집에 있는 사과는 모두 몇 개일까요?

식 ______________ 답 ______ 개

연지는 엽서 4장을 가지고 있었습니다. 엽서 9장을 더 사고 친구에게서 1장을 받았습니다. 연지가 가진 엽서는 모두 몇 장일까요?

식 ______________ 답 ______ 장

달걀을 어제는 8개, 오늘은 2개 먹었더니 달걀이 9개 남았습니다. 처음에 달걀이 몇 개 있었을까요?

식 ______________ 답 ______ 개

공원에 소나무가 4그루, 느티나무가 6그루, 은행나무가 8그루 있습니다. 공원에 있는 나무는 모두 몇 그루일까요?

식 ______________ 답 ______ 그루

물음에 답하세요.

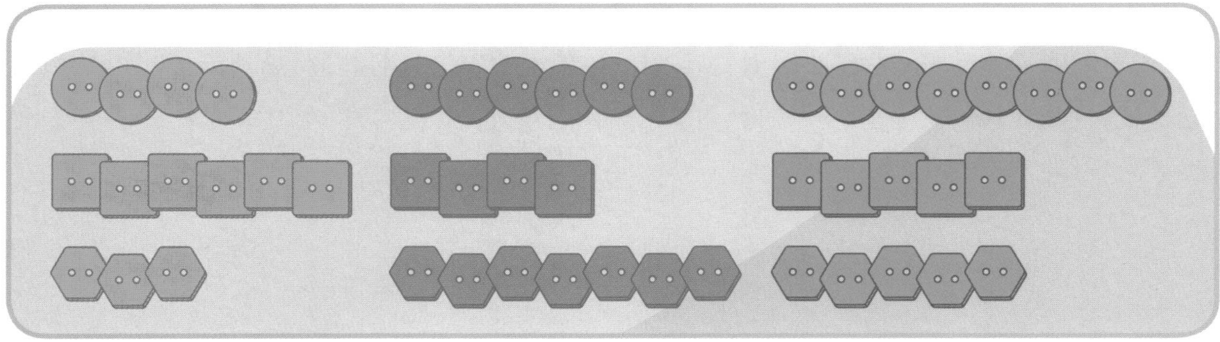

빨간색, 파란색, 초록색 단추는 각각 몇 개일까요?

빨간색 식 ______________________ 답 __________ 개

파란색 식 ______________________ 답 __________ 개

초록색 식 ______________________ 답 __________ 개

◯, □, ⬡ 모양의 단추는 각각 몇 개일까요?

◯ 모양 식 ______________________ 답 __________ 개

□ 모양 식 ______________________ 답 __________ 개

⬡ 모양 식 ______________________ 답 __________ 개

21일~25일

5주차

10을 이용한 모으기와 가르기

모으기 하고 가르기 (1)

■ 왼쪽 수판부터 ○를 그려 모으기와 가르기를 해 보세요.

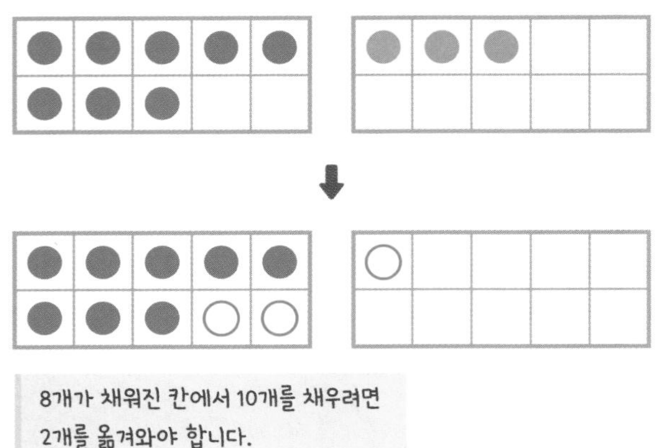

8개가 채워진 칸에서 10개를 채우려면
2개를 옮겨와야 합니다.

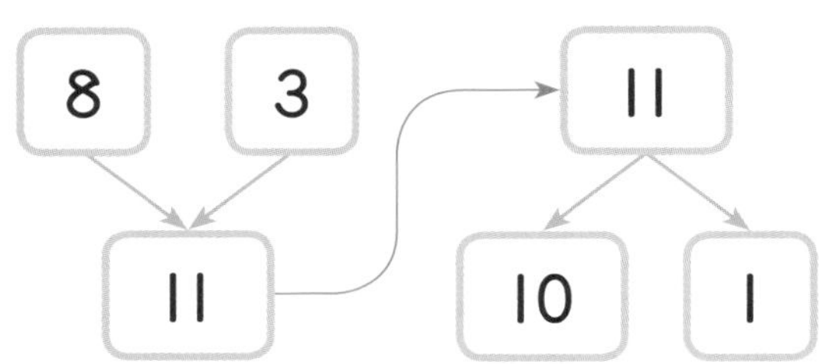

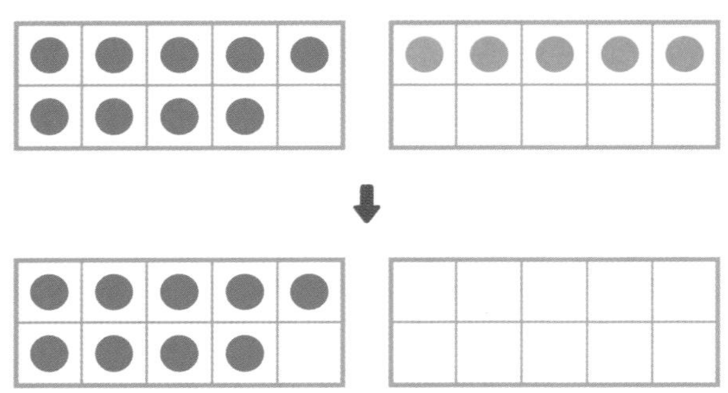

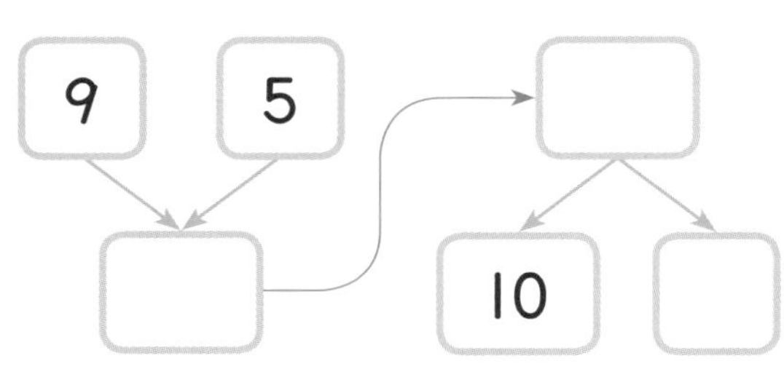

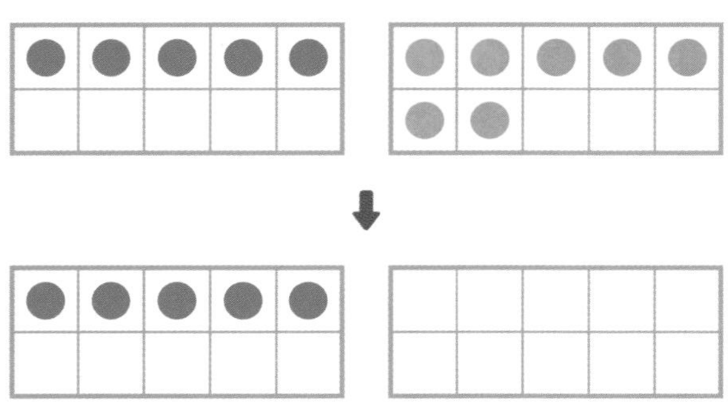

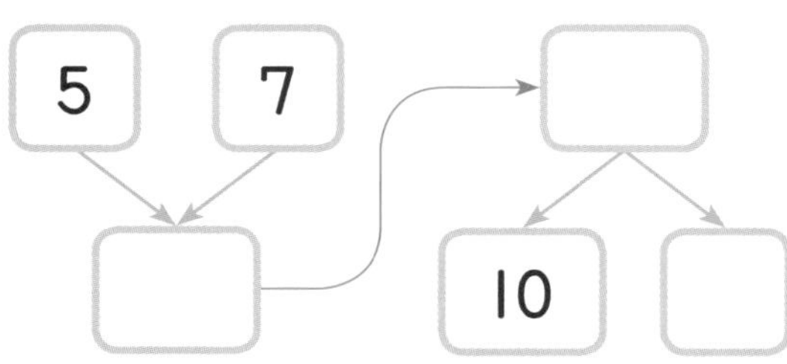

10을 이용하여 모으기와 가르기를 해 보세요.

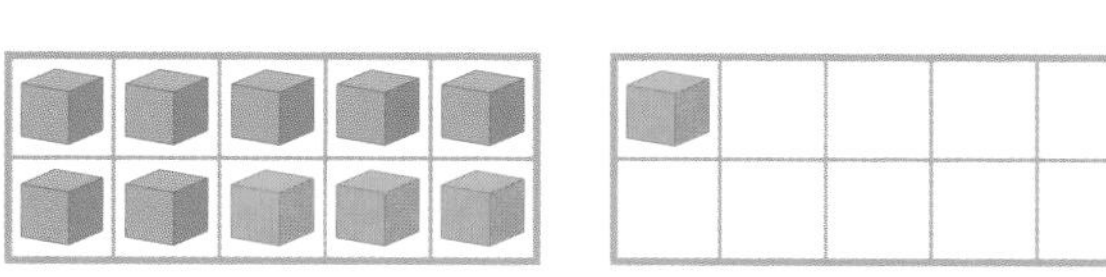

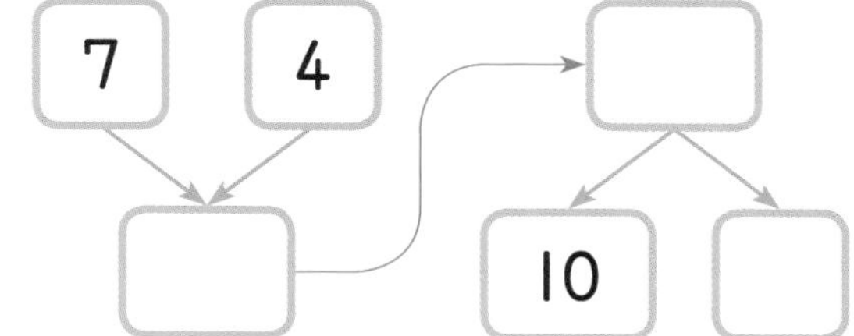

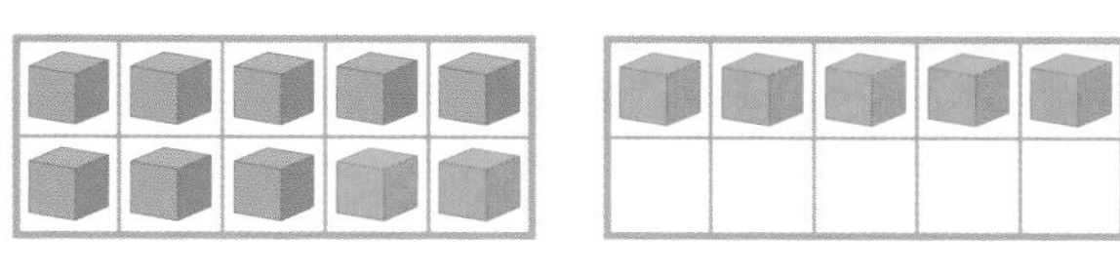

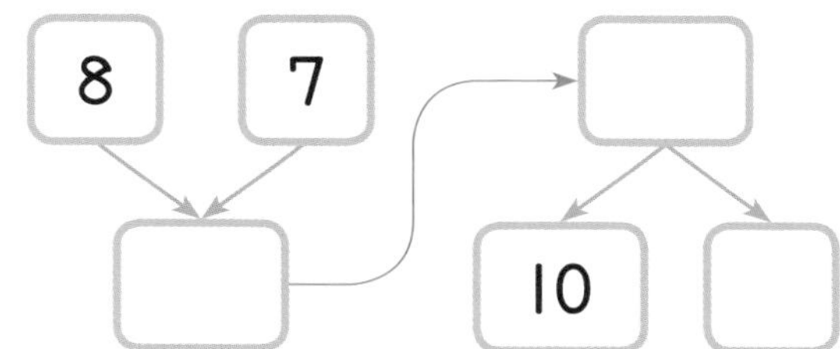

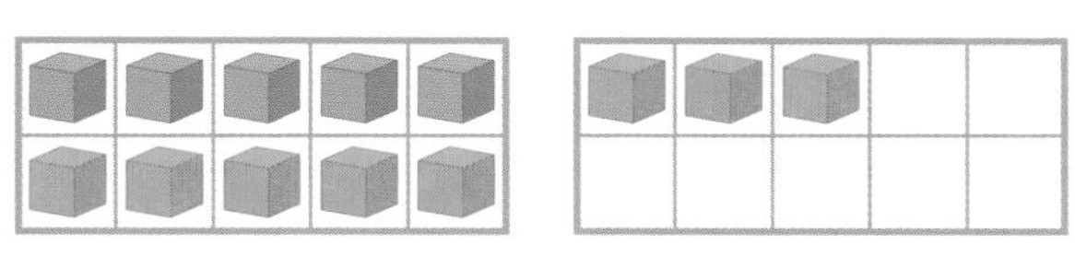

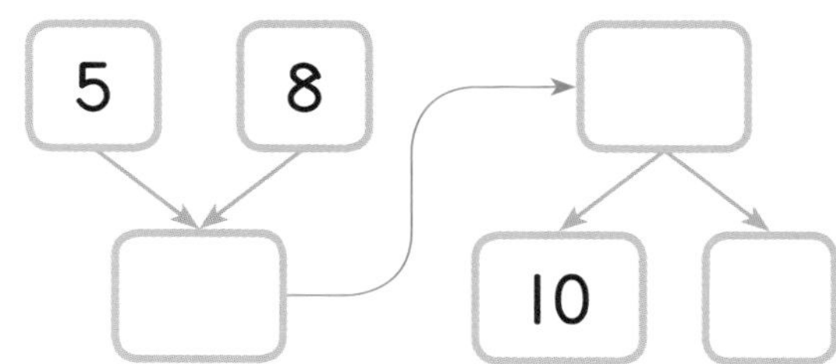

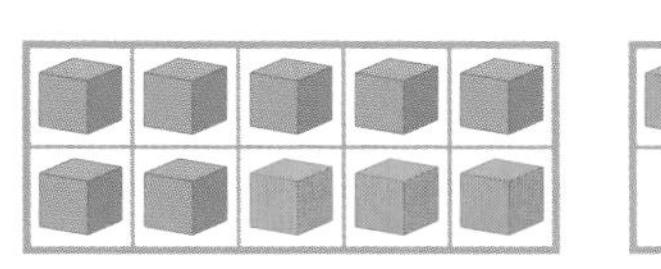

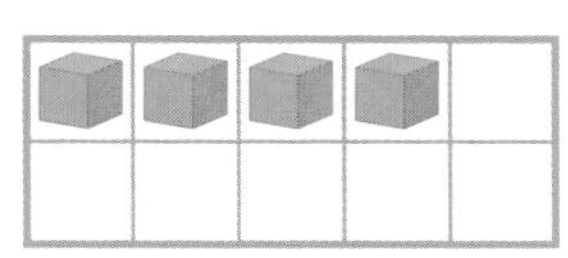

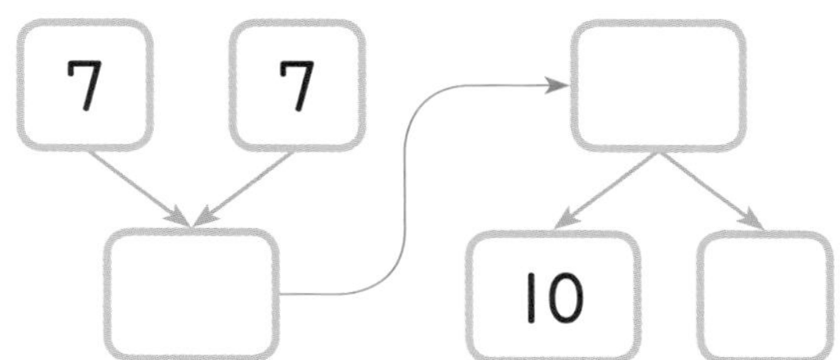

모으기 하고 가르기 (2)

왼쪽 수판부터 ○를 그려 모으기와 가르기를 해 보세요.

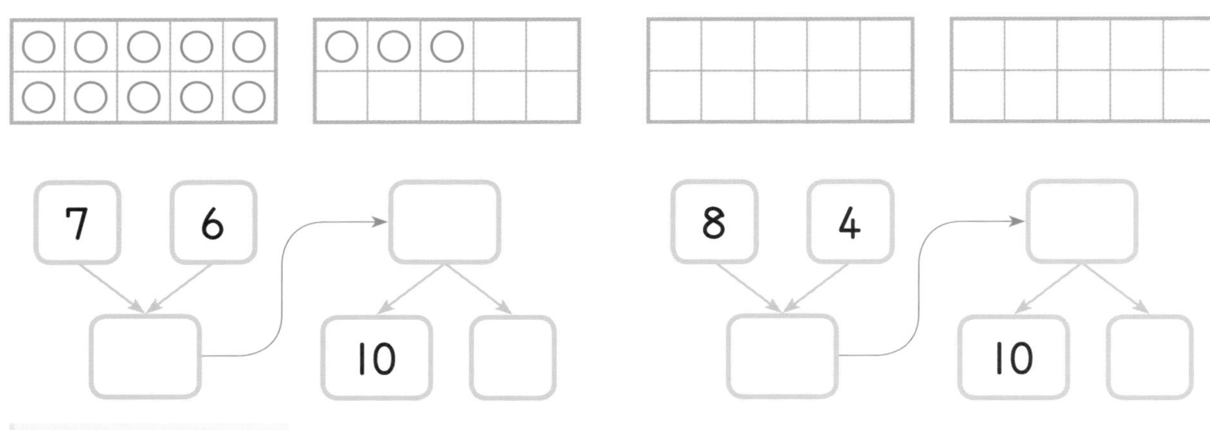

왼쪽 수판부터 ○ 7개를 그리고 6개를 더 그립니다.

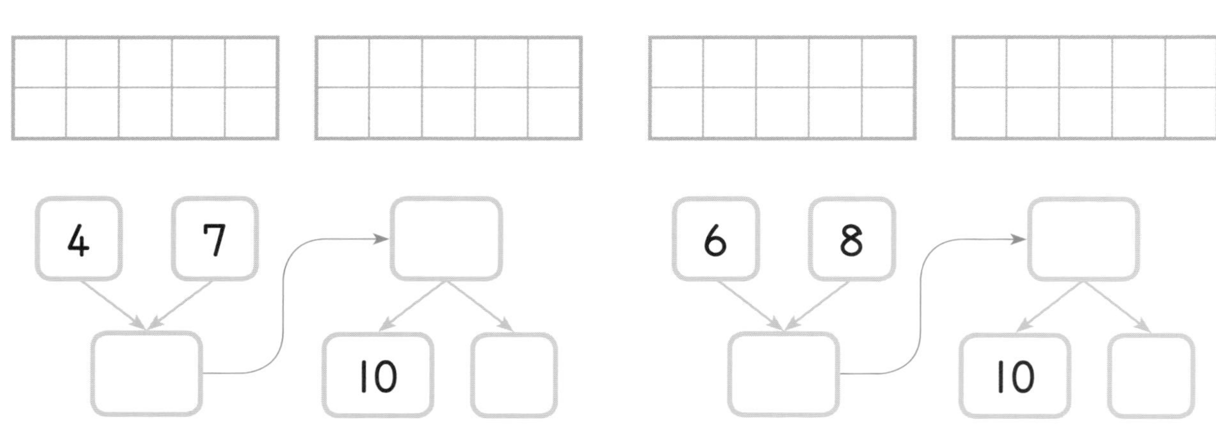

10을 이용하여 모으기와 가르기를 해 보세요.

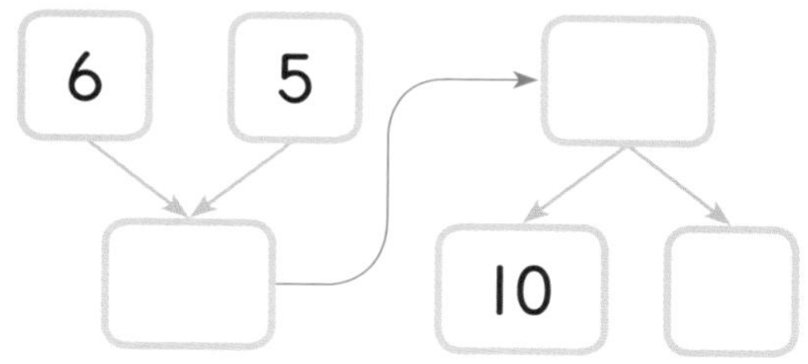

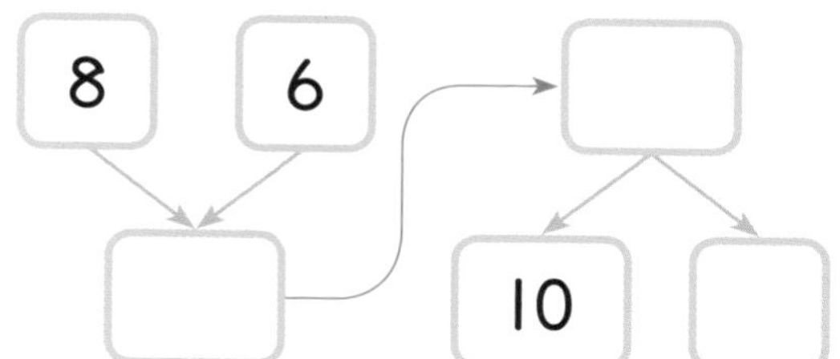

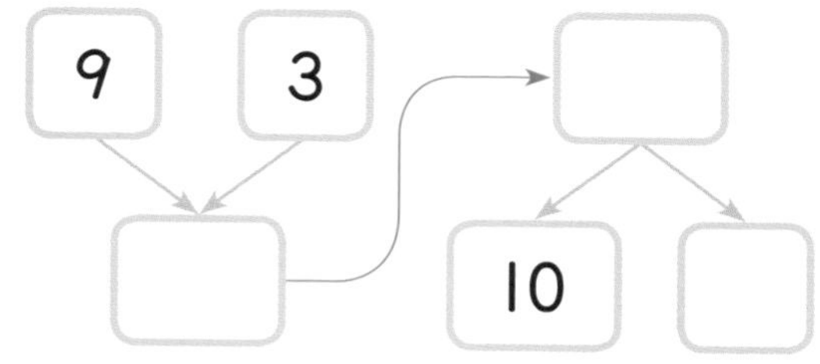

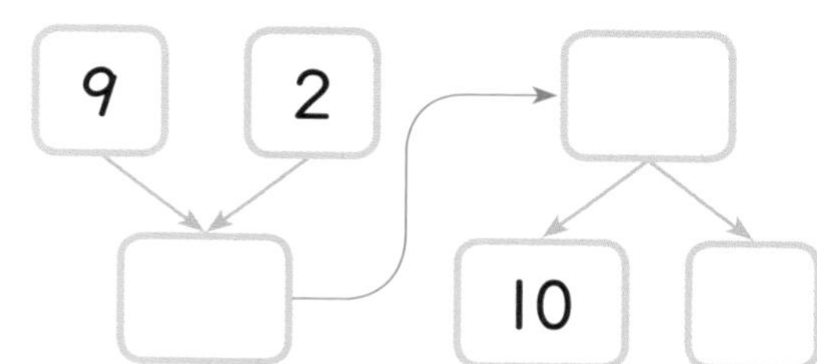

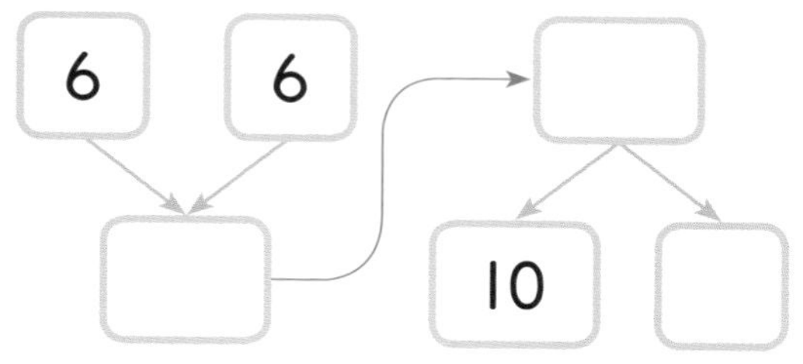

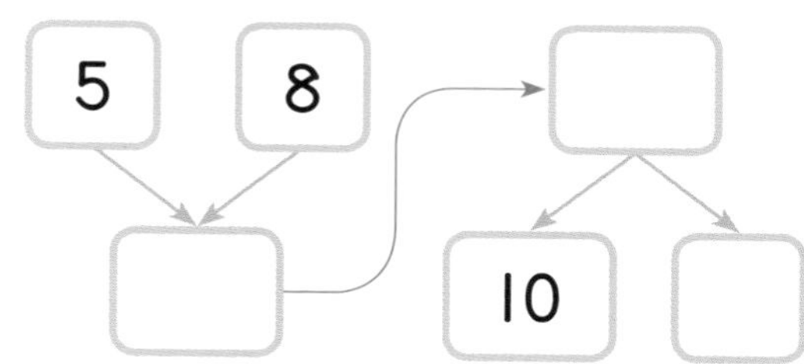

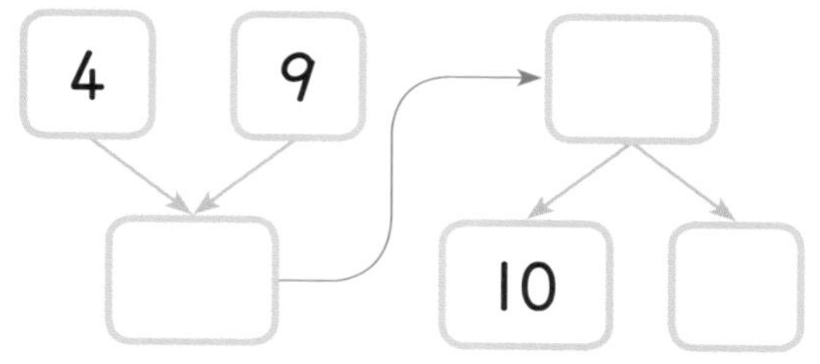

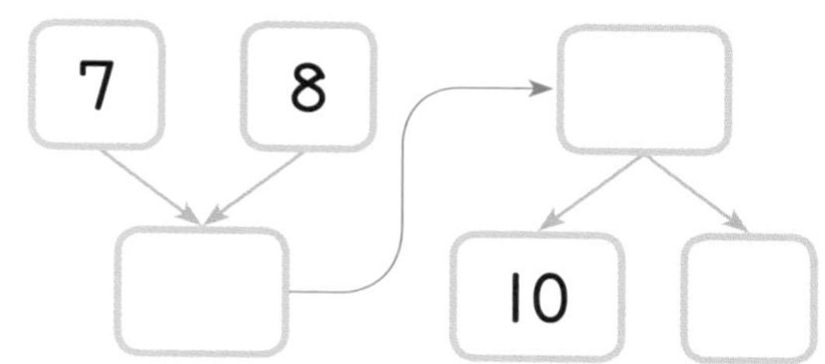

23 일 가르기와 모으기

빈칸에 알맞은 수를 써넣으세요.

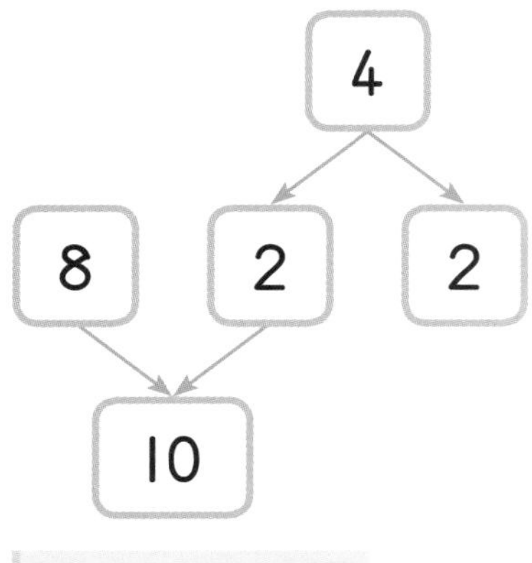

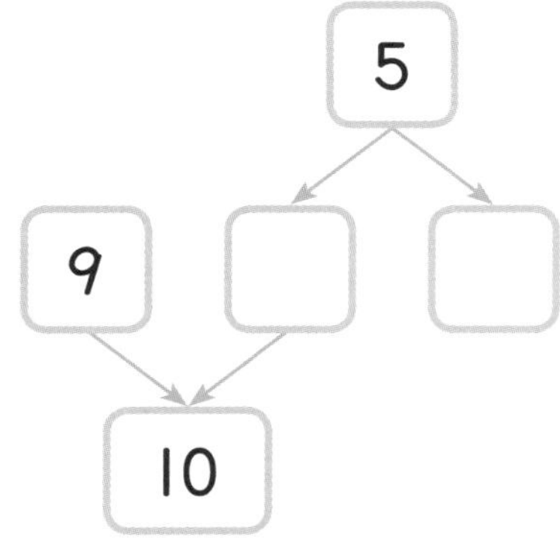

8과 어떤 수를 모으기 하면
10이 되는지 생각합니다.

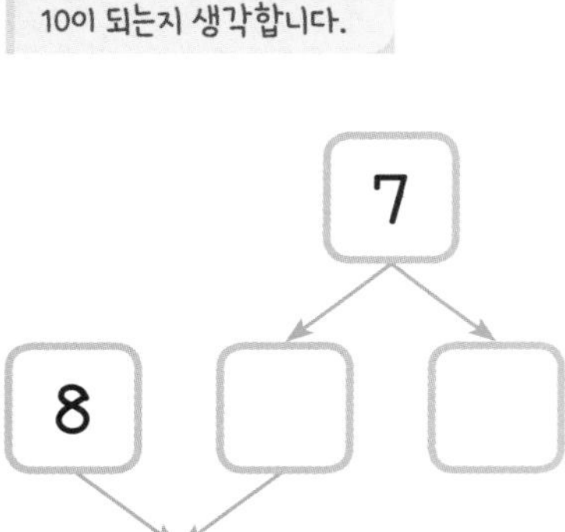

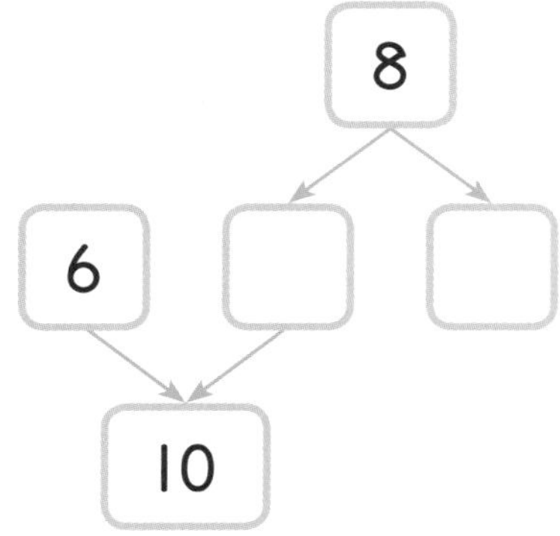

9

4

10

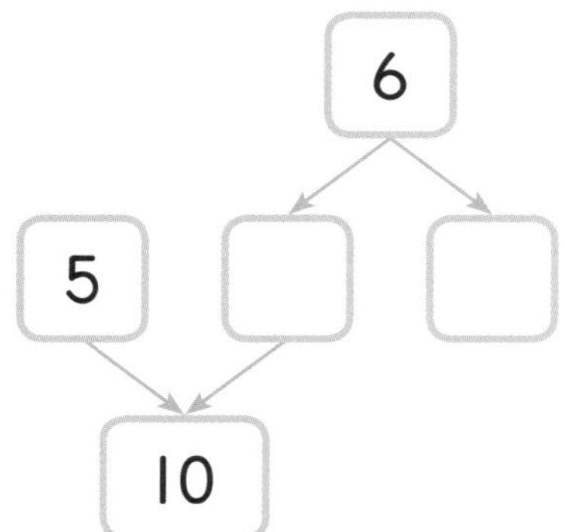

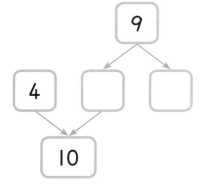

빈칸에 알맞은 수를 써넣으세요.

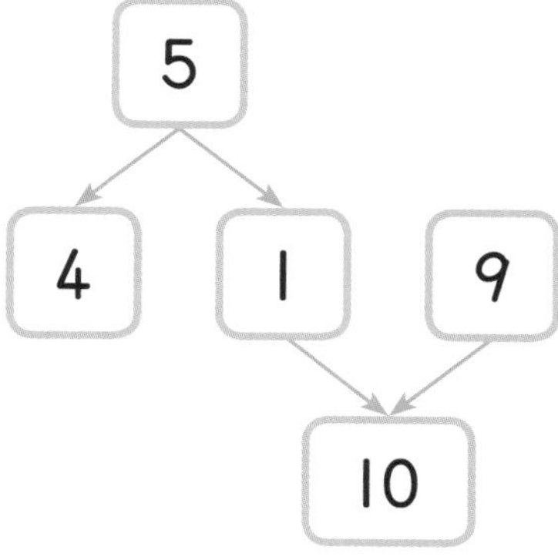

9와 어떤 수를 모으기 하면
10이 되는지 생각합니다.

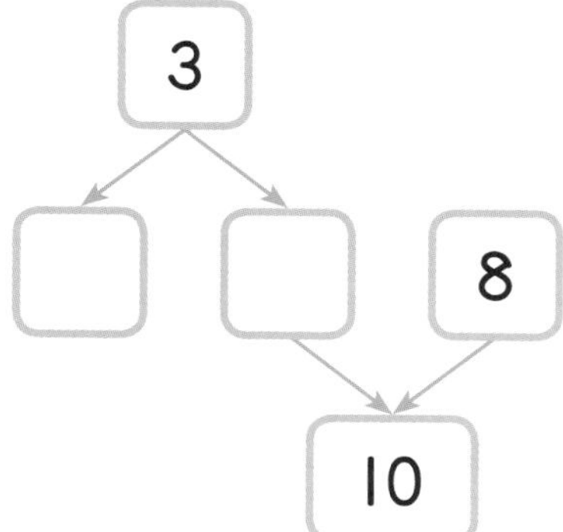

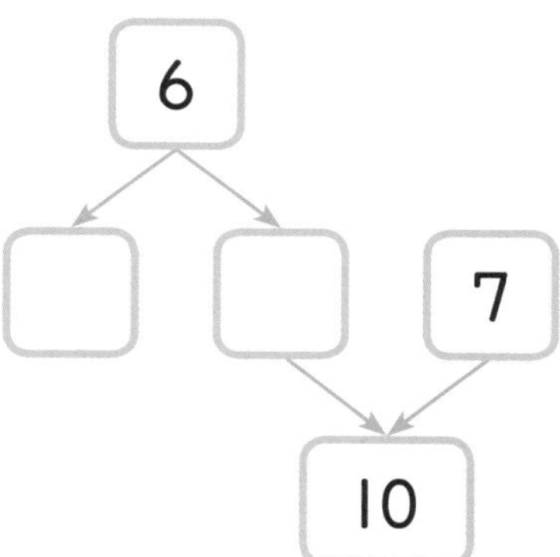

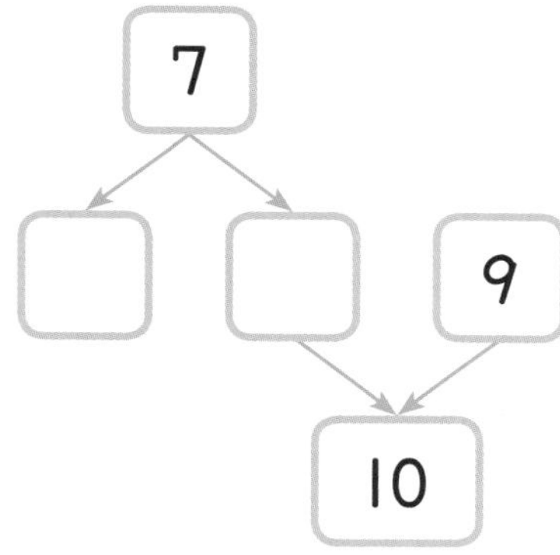

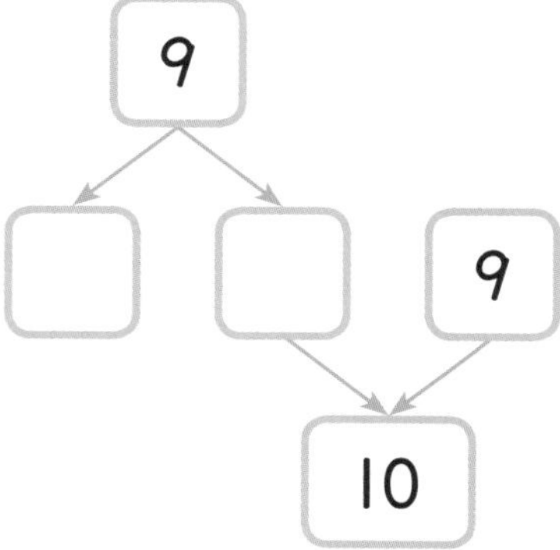

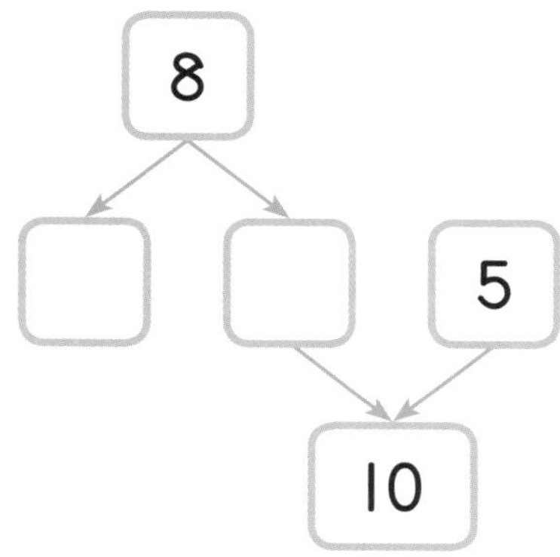

24일 10과 몇

빈칸에 알맞은 수를 써넣으세요.

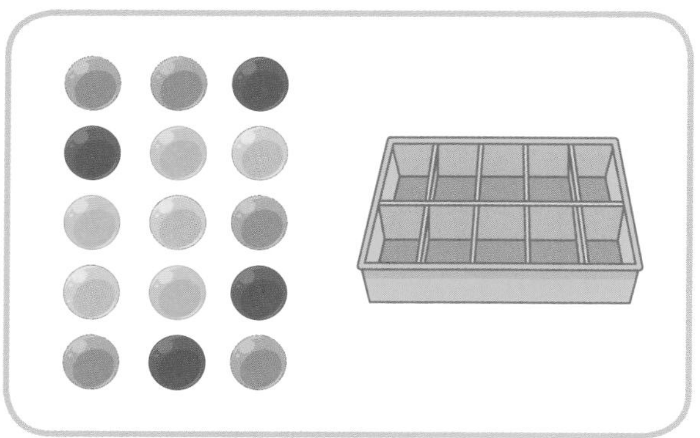

구슬이 모두 15개 있습니다.

구슬을 상자 한 칸에 한 개씩 담으면

구슬은 [ ]개 남습니다.

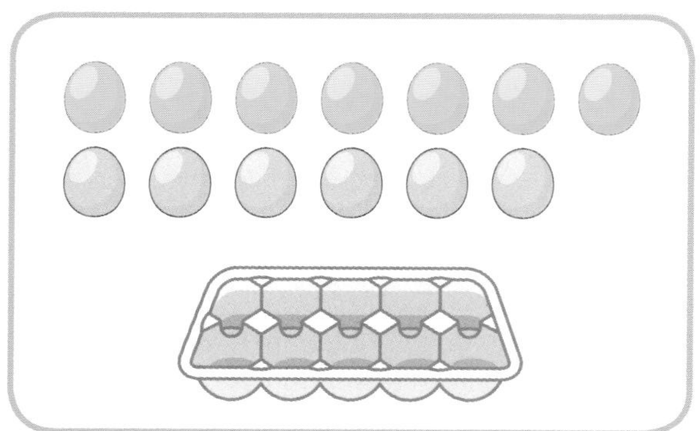

달걀이 모두 [ ]개 있습니다.

달걀을 달걀판 한 칸에 한 개씩 담으면

달걀은 [ ]개 남습니다.

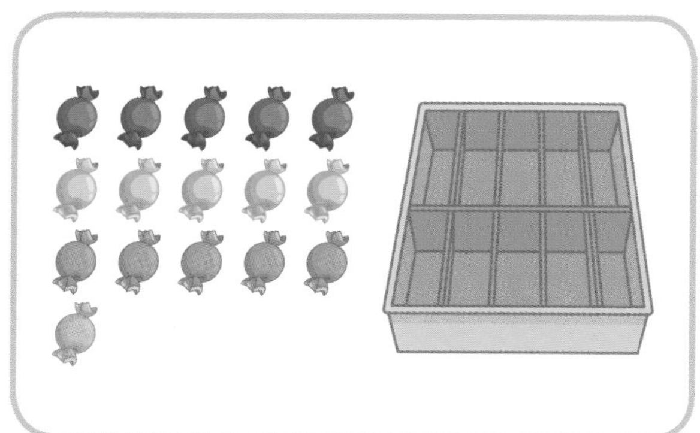

사탕이 모두 [ ]개 있습니다.

사탕을 상자 한 칸에 한 개씩 담으면

사탕은 [ ]개 남습니다.

물음에 답하세요.

바나나가 16개 있습니다. 바나나 10개를 봉지에 담으면 바나나는 몇 개 남을까요?

16

10

(   )개

참외가 12개 있습니다. 참외 10개를 상자에 담으면 참외는 몇 개 남을까요?

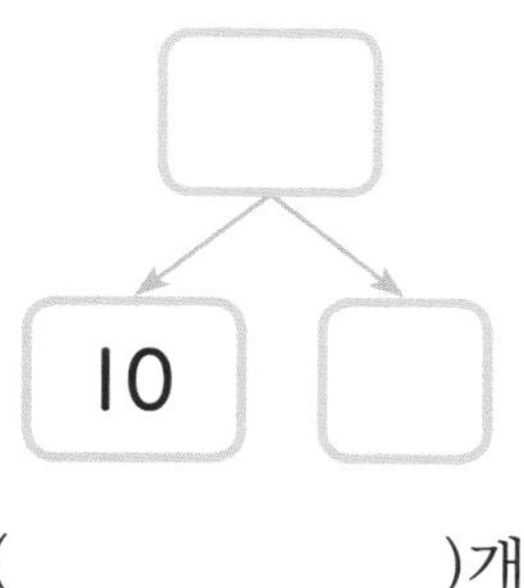

(   )개

어린이 13명이 버스에 타려고 합니다. 버스에 10명이 탈 수 있다면 버스에 타지 못하는 어린이는 몇 명일까요?

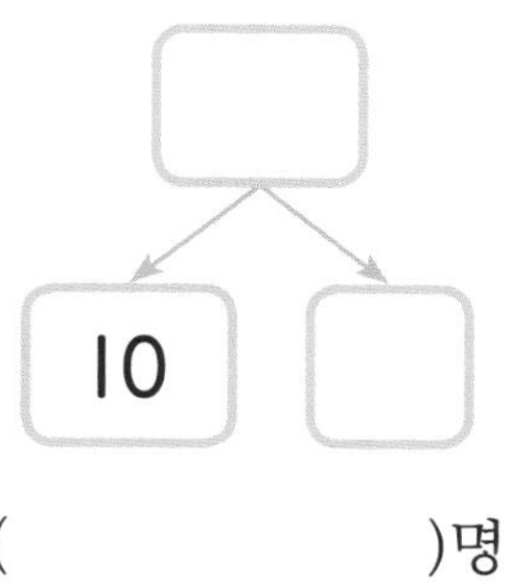

(   )명

농장에 닭이 14마리 있습니다. 10마리가 닭장 안으로 들어가면 닭장 밖에는 몇 마리가 남을까요?

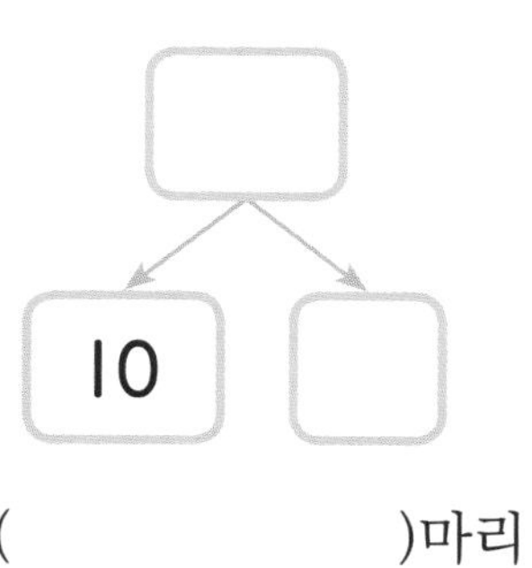

(   )마리

옮겨서 10 만들기

왼쪽 수판에 ● 10개가 되도록 ○를 더 그리고, 그린 수만큼 오른쪽 수판에서 ●를 /로 지워 보세요.

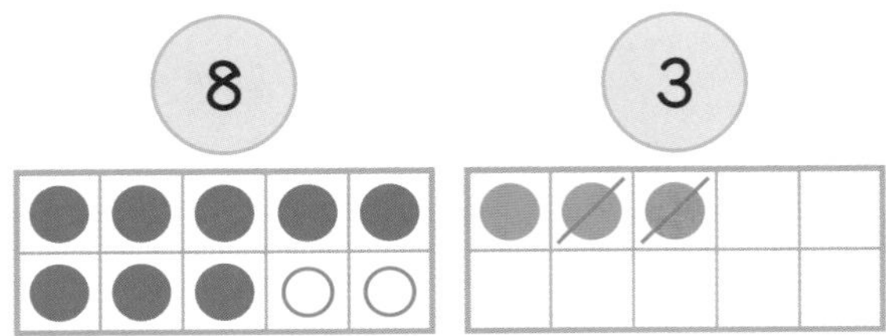

8개에서 2개 더 그리면 10개가 되고
오른쪽에서 ● 2개를 지우면 1개 남습니다.

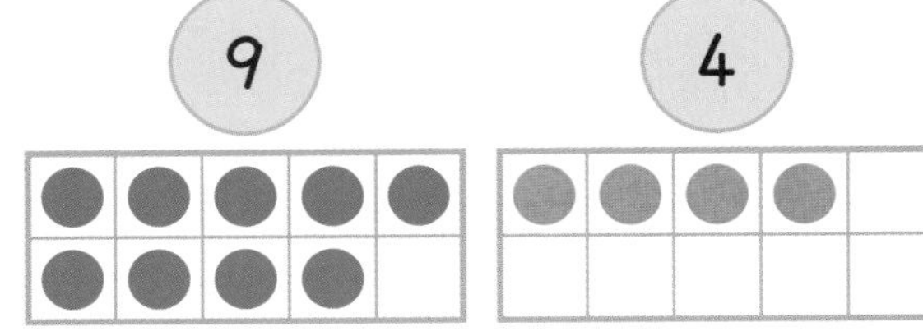

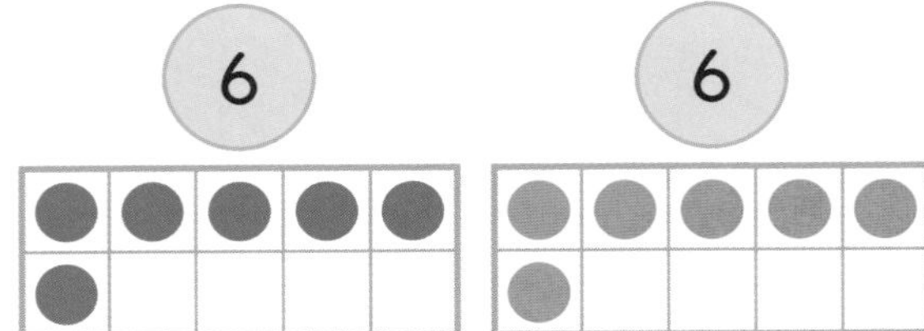

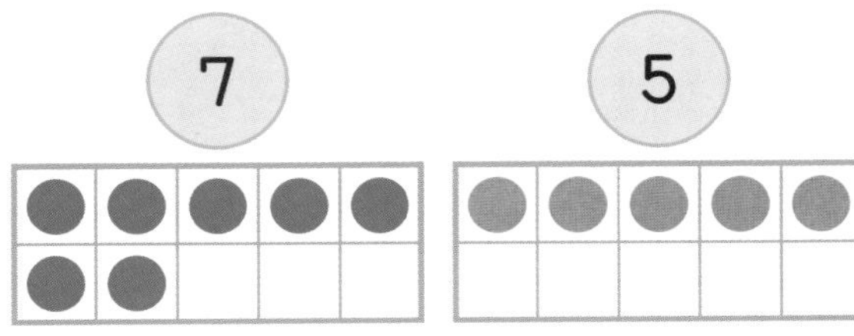

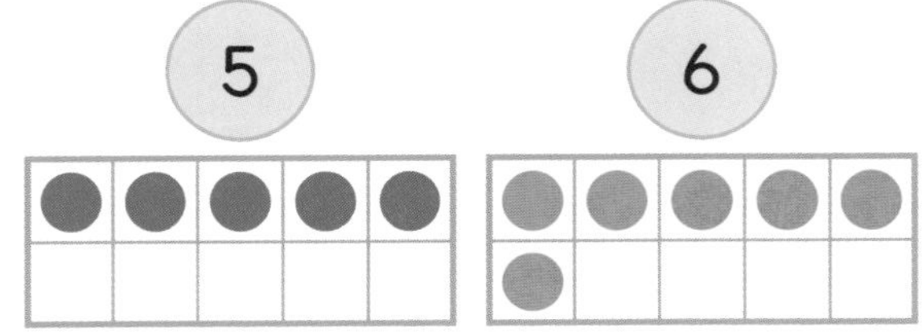

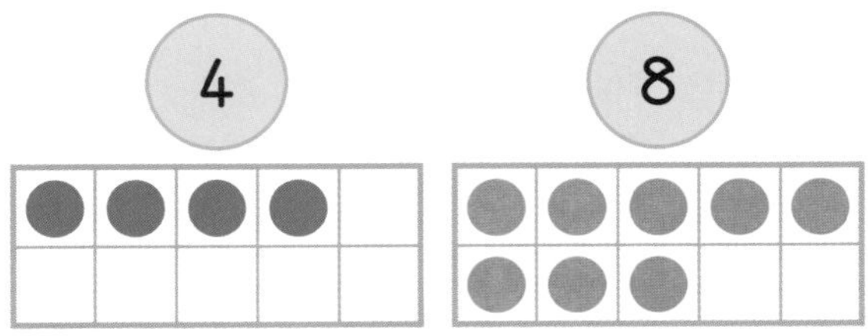

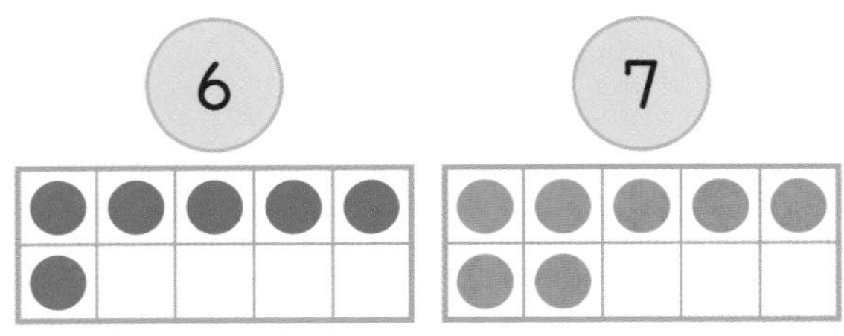

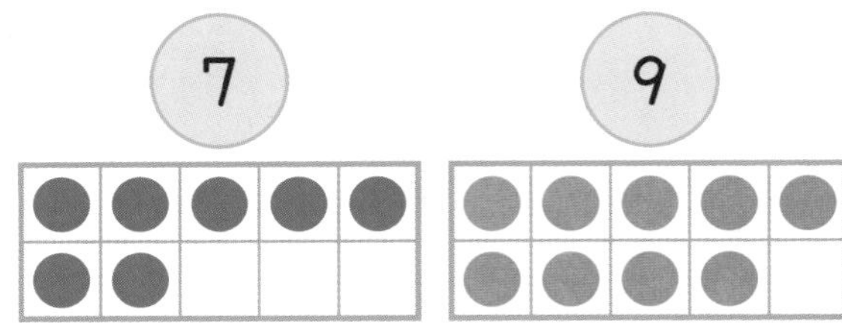

연두색 상자에서 구슬 몇 개를 옮겨 노란색 상자에 구슬 10개를 채웁니다. 빈칸에 알맞은 수를 써넣으세요.

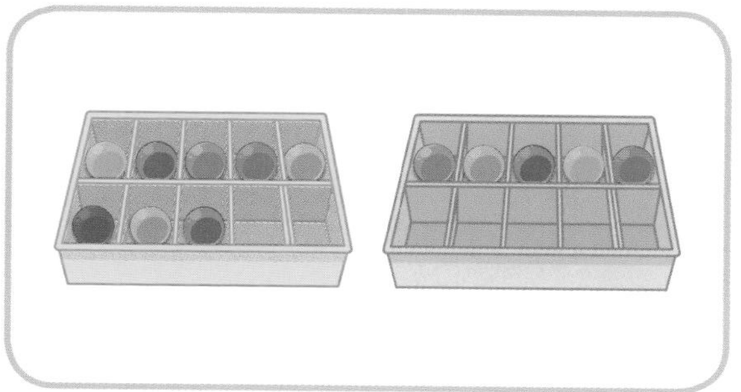

구슬이 노란색 상자에 8개 있으므로

연두색 상자에서 □개를 옮기면

연두색 상자에는 □개 남습니다.

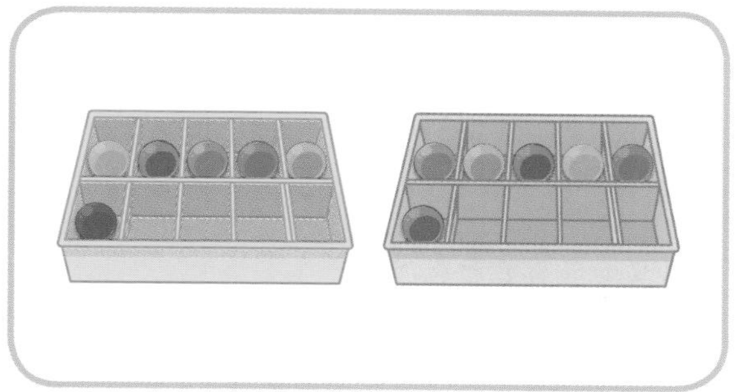

구슬이 노란색 상자에 □개 있으므로

연두색 상자에서 □개를 옮기면

연두색 상자에는 □개 남습니다.

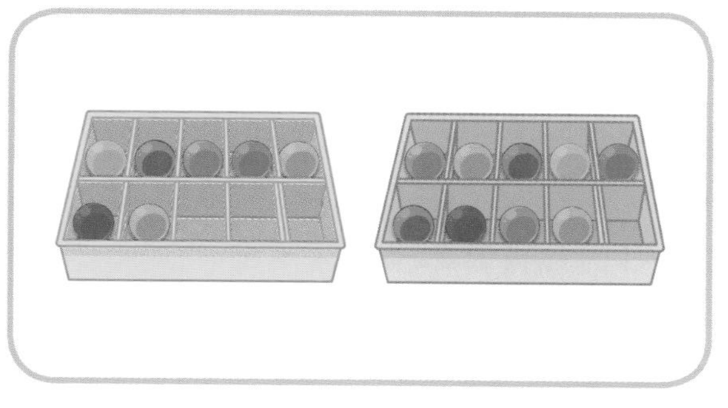

구슬이 노란색 상자에 □개 있으므로

연두색 상자에서 □개를 옮기면

연두색 상자에는 □개 남습니다.

물음에 답하세요.

민호는 색종이를 7장, 은아는 4장 가지고 있습니다. 민호의 색종이가 10장이 되려면 은아는 민호에게 몇 장 주어야 하고, 은아에게는 몇 장 남을까요?

은아가 민호에게 ☐장 주면 ☐장 남습니다.

윤서는 연필을 8자루, 기훈이는 6자루 가지고 있습니다. 윤서의 연필이 10자루가 되려면 기훈이는 윤서에게 몇 자루 주어야 하고, 기훈이에게는 몇 자루 남을까요?

기훈이가 윤서에게 ☐자루 주면 ☐자루 남습니다.

세은이는 가진 사탕 중에 9개를 먹었더니 5개 남았습니다. 세은이가 사탕을 10개 먹으려면 몇 개 더 먹어야 하고, 몇 개 남을까요?

세은이가 사탕을 ☐개 더 먹으면 ☐개 남습니다.

정답

정답

8·9쪽

01 합이 10인 덧셈식

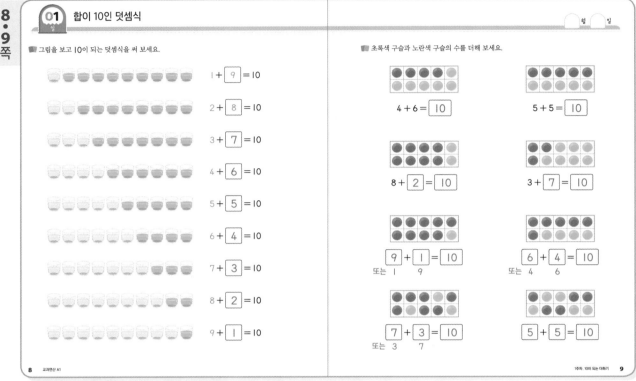

그림을 보고 10이 되는 덧셈식을 써 보세요.

1 + 9 = 10
2 + 8 = 10
3 + 7 = 10
4 + 6 = 10
5 + 5 = 10
6 + 4 = 10
7 + 3 = 10
8 + 2 = 10
9 + 1 = 10

월 일

초록색 구슬과 노란색 구슬의 수를 더해 보세요.

4 + 6 = 10
5 + 5 = 10
8 + 2 = 10
3 + 7 = 10
9 + 1 = 10 또는 1 9
6 + 4 = 10 또는 4 6
7 + 3 = 10 또는 3 7
5 + 5 = 10

8 교과연산 A1 | 1주차. 10이 되는 더하기 9

10·11쪽

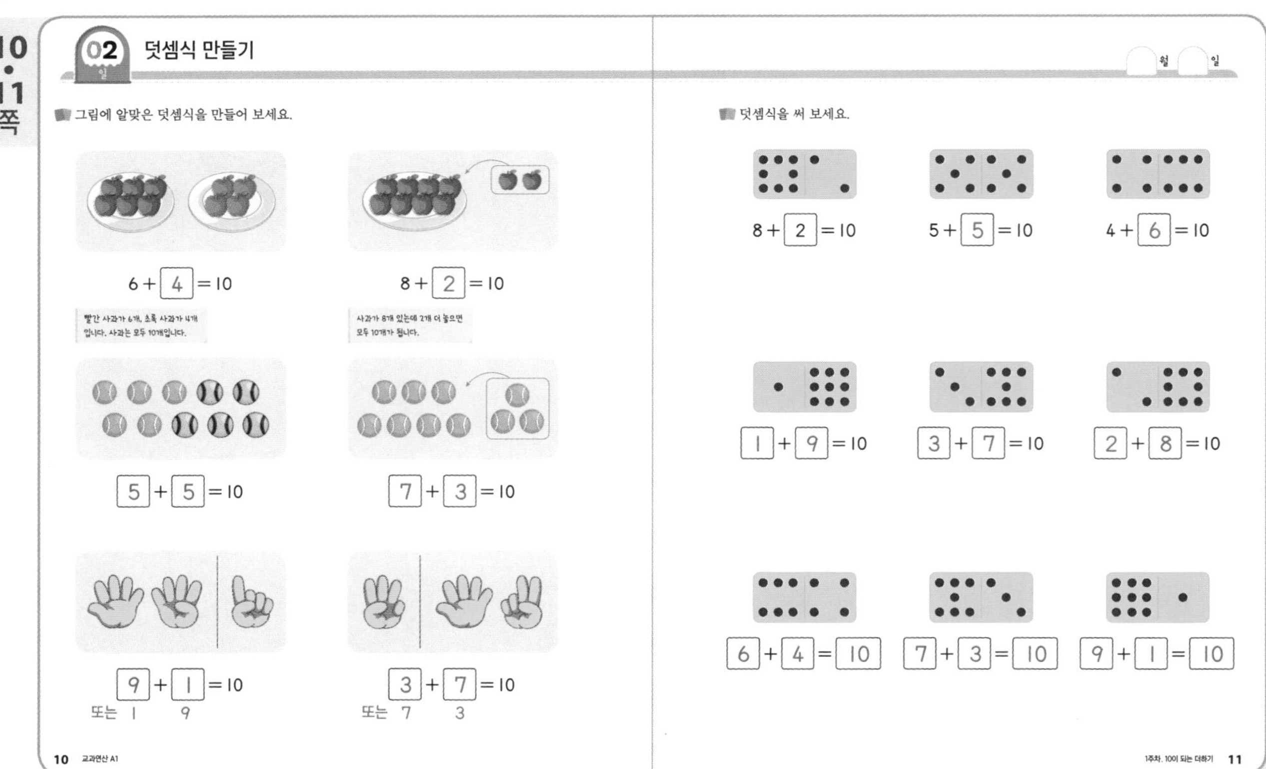

02 덧셈식 만들기

그림에 알맞은 덧셈식을 만들어 보세요.

6 + 4 = 10

빨간 사과가 6개, 초록 사과가 4개입니다. 사과는 모두 10개입니다.

8 + 2 = 10

사과가 8개 있는데 2개 더 놓으면 모두 10개가 됩니다.

5 + 5 = 10
7 + 3 = 10
9 + 1 = 10 또는 1 9
3 + 7 = 10 또는 7 3

월 일

덧셈식을 써 보세요.

8 + 2 = 10
5 + 5 = 10
4 + 6 = 10
1 + 9 = 10
3 + 7 = 10
2 + 8 = 10
6 + 4 = 10
7 + 3 = 10
9 + 1 = 10

10 교과연산 A1 | 1주차. 10이 되는 더하기 11

12·13쪽

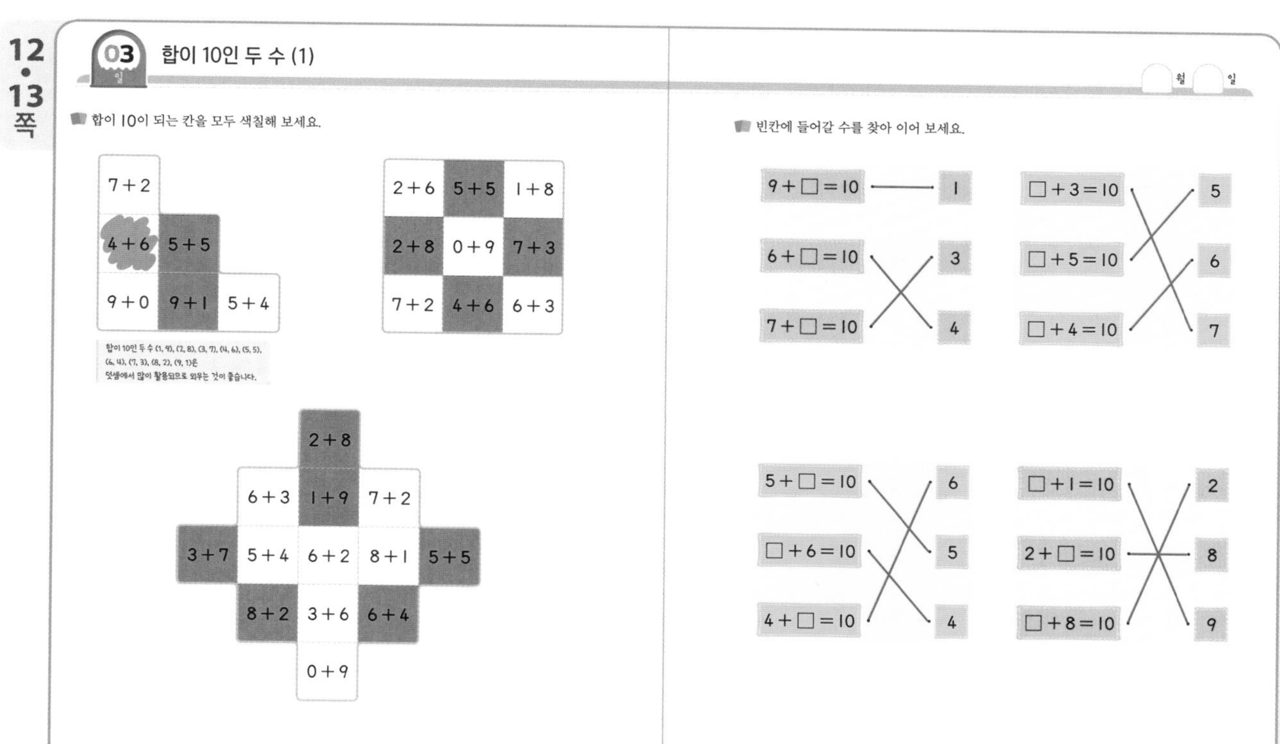

03일 합이 10인 두 수 (1)

월 일

합이 10이 되는 칸을 모두 색칠해 보세요.

7+2
4+6 5+5
9+0 9+1 5+4

2+6 5+5 1+8
2+8 0+9 7+3
7+2 4+6 6+3

합이 10인 두 수 (1, 9), (2, 8), (3, 7), (4, 6), (5, 5), (6, 4), (7, 3), (8, 2), (9, 1)은 덧셈에서 많이 활용되므로 외우는 것이 좋습니다.

2+8
6+3 1+9 7+2
3+7 5+4 6+2 8+1 5+5
8+2 3+6 6+4
0+9

빈칸에 들어갈 수를 찾아 이어 보세요.

9+□=10 — 1
6+□=10 — 4
7+□=10 — 3

□+3=10 — 7
□+5=10 — 5
□+4=10 — 6

5+□=10 — 5
□+6=10 — 4
4+□=10 — 6

□+1=10 — 9
2+□=10 — 8
□+8=10 — 2

12 교과연산 A1

1주차. 10이 되는 더하기 13

14·15쪽

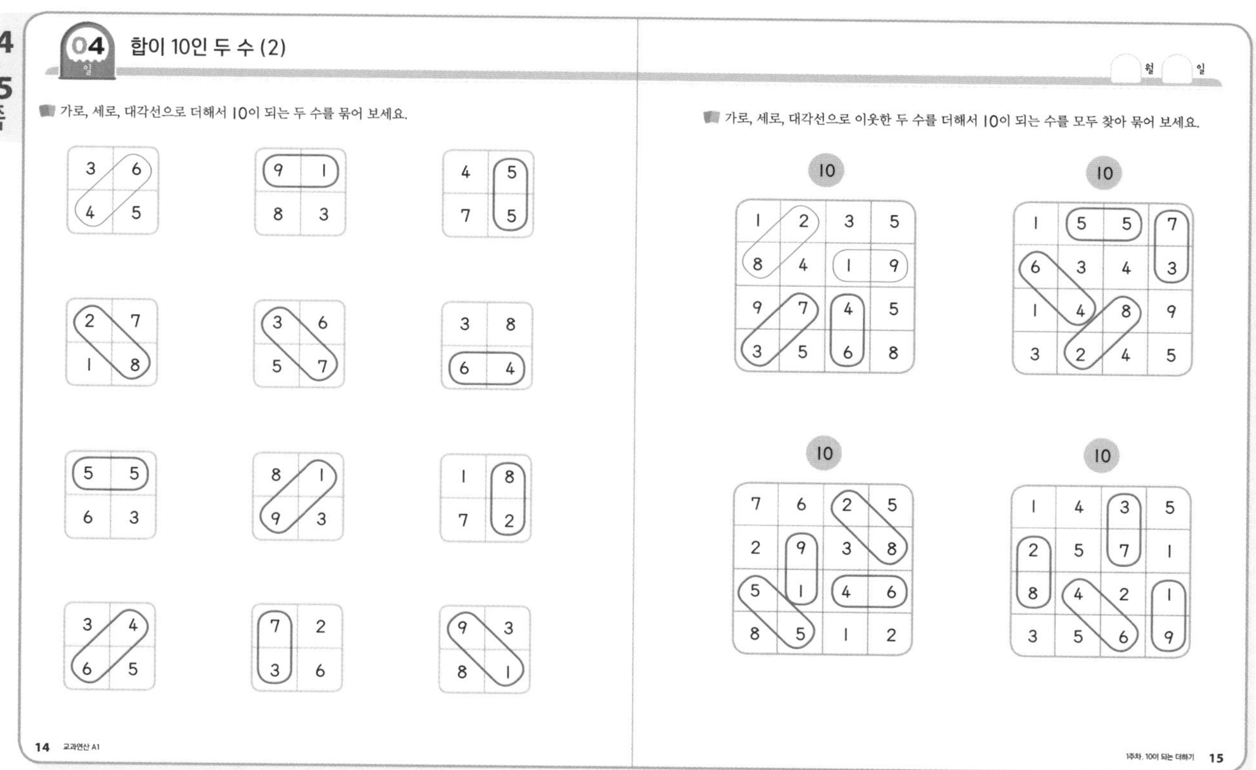

04일 합이 10인 두 수 (2)

월 일

가로, 세로, 대각선으로 더해서 10이 되는 두 수를 묶어 보세요.

3 6 / 4 5
9 1 / 8 3
4 5 / 7 5
2 7 / 1 8
3 6 / 5 7
3 8 / 6 4
5 5 / 6 3
8 1 / 9 3
1 8 / 7 2
3 4 / 6 5
7 2 / 3 6
9 3 / 8 1

가로, 세로, 대각선으로 이웃한 두 수를 더해서 10이 되는 수를 모두 찾아 묶어 보세요.

10

1	2	3	5
8	4	1	9
9	7	4	5
3	5	6	8

10

1	5	5	7
6	3	4	3
1	4	8	9
3	2	4	5

10

7	6	2	5
2	9	3	8
5	1	4	6
8	5	1	2

10

1	4	3	5
2	5	7	1
8	4	2	1
3	5	6	9

14 교과연산 A1

1주차. 10이 되는 더하기 15

16·17쪽

이야기하기

■ 물음에 답하세요.

양손에 있는 구슬은 모두 몇 개인지 덧셈식으로 나타내어 보세요.

구슬이 왼손에 7개, 오른손에 3개 있습니다.

7 + 3 = 10
또는 3 7

갈색 달걀과 흰색 달걀은 모두 몇 개인지 덧셈식으로 나타내어 보세요.

5 + 5 = 10

윤아와 민석이가 펼친 손가락은 모두 몇 개인지 덧셈식으로 나타내어 보세요.

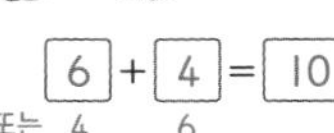

6 + 4 = 10
또는 4 6

월 일

■ 물음에 답하세요.

딸기 맛 아이스크림이 2개, 초코 맛 아이스크림이 8개 있습니다. 아이스크림은 모두 몇 개 있을까요?

식 2 + 8 = 10 답 10 개

버스에 5명이 타고 있었는데 학교 앞 정류장에서 5명이 더 탔습니다. 버스에 타고 있는 사람은 모두 몇 명일까요?

식 5+5=10 답 10 명

서희는 어제 동화책을 9쪽 읽고 오늘 1쪽 읽었습니다. 서희가 어제와 오늘 읽은 동화책은 모두 몇 쪽일까요?

식 9+1=10 답 10 쪽
또는 1+9=10

종이배를 접는 데 색종이 3장, 종이학을 접는 데 색종이 7장을 사용했습니다. 종이배와 종이학을 접는 데 사용한 색종이는 모두 몇 장일까요?

식 3+7=10 답 10 장
또는 7+3=10

18쪽

■ 물음에 답하세요.

어떤 수에서 4를 빼야 할 것을 잘못하여 더했더니 10이 되었습니다. 바르게 계산한 값은 얼마일까요?

어떤 수를 □로 하여 잘못된 식을 세우고 어떤 수를 구합니다.

잘못된 계산식	□ + 4 = 10	어떤 수	6
올바른 계산식	6 − 4 = 2	바르게 계산한 값	2

어떤 수에서 1을 빼야 할 것을 잘못하여 더했더니 10이 되었습니다. 바르게 계산한 값은 얼마일까요?

잘못된 계산식	□+1=10	어떤 수	9
올바른 계산식	9−1=8	바르게 계산한 값	8

어떤 수에서 5를 빼야 할 것을 잘못하여 더했더니 10이 되었습니다. 바르게 계산한 값은 얼마일까요?

잘못된 계산식	□+5=10	어떤 수	5
올바른 계산식	5−5=0	바르게 계산한 값	0

20·21쪽

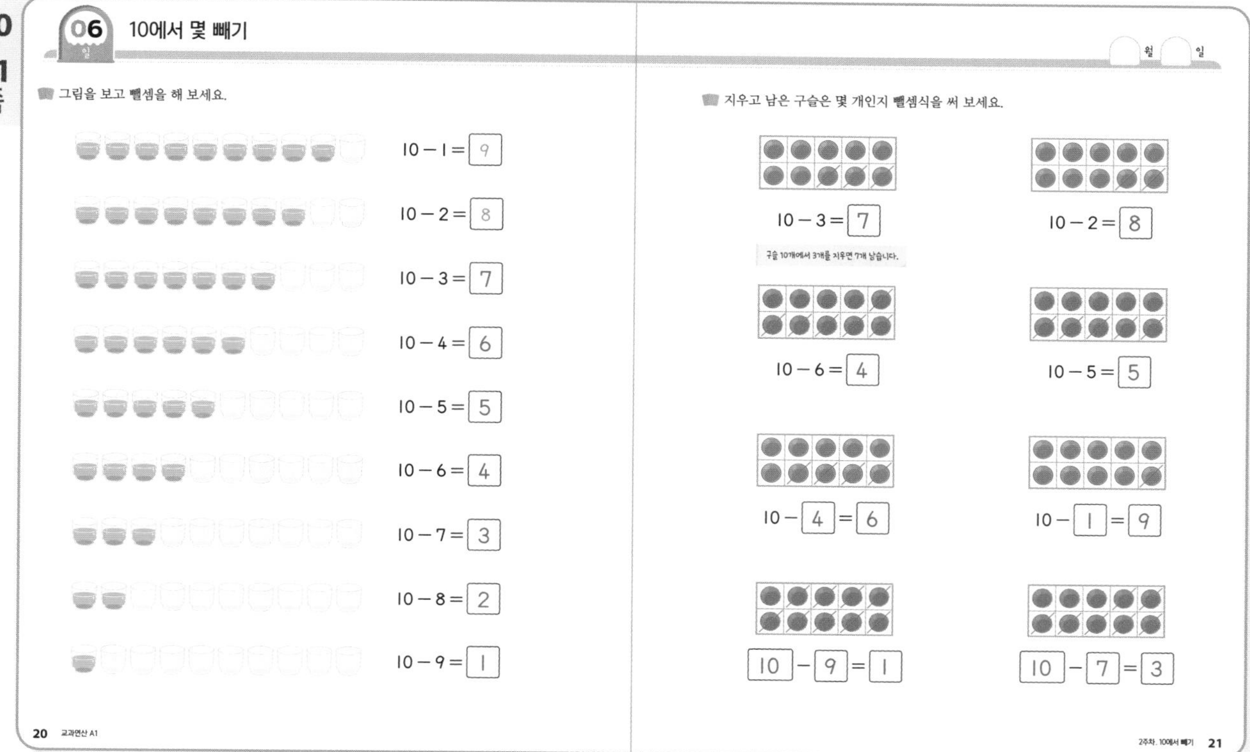

06일 10에서 몇 빼기

월 일

그림을 보고 뺄셈을 해 보세요.

10 − 1 = 9

10 − 2 = 8

10 − 3 = 7

10 − 4 = 6

10 − 5 = 5

10 − 6 = 4

10 − 7 = 3

10 − 8 = 2

10 − 9 = 1

지우고 남은 구슬은 몇 개인지 뺄셈식을 써 보세요.

10 − 3 = 7

구슬 10개에서 3개를 지우면 7개 남습니다.

10 − 2 = 8

10 − 6 = 4

10 − 5 = 5

10 − 4 = 6

10 − 1 = 9

10 − 9 = 1

10 − 7 = 3

20 교과연산 A1

2주차. 10에서 빼기 21

22·23쪽

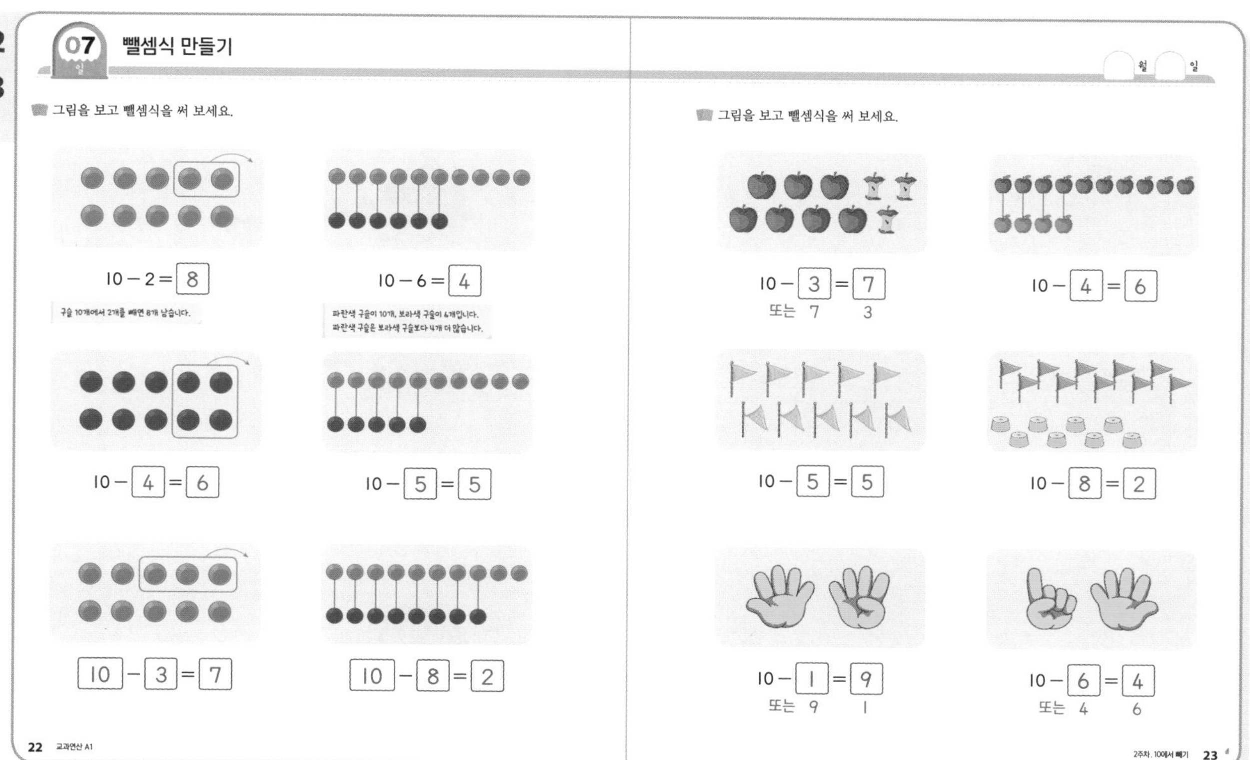

07일 뺄셈식 만들기

월 일

그림을 보고 뺄셈식을 써 보세요.

10 − 2 = 8

구슬 10개에서 2개를 빼면 8개 남습니다.

10 − 6 = 4

파란색 구슬이 10개, 보라색 구슬이 6개입니다.
파란색 구슬은 보라색 구슬보다 4개 더 많습니다.

10 − 4 = 6

10 − 5 = 5

10 − 3 = 7

10 − 8 = 2

그림을 보고 뺄셈식을 써 보세요.

10 − 3 = 7
또는 7 3

10 − 4 = 6

10 − 5 = 5

10 − 8 = 2

10 − 1 = 9
또는 9 1

10 − 6 = 4
또는 4 6

22 교과연산 A1

2주차. 10에서 빼기 23

정답

24・25쪽

08 이야기하기

월 일

물음에 답하세요.

두 손에 있는 구슬은 모두 10개입니다. 왼손에 있는 구슬은 몇 개인지 뺄셈식으로 나타내어 보세요.

구슬이 모두 10개인데 오른손에 4개 있으므로 왼손에는 6개 있습니다.

10 − 4 = 6

공이 모두 10개 있습니다. 상자 안에 있는 공은 몇 개인지 뺄셈식으로 나타내어 보세요.

10 − 6 = 4

접은 손가락은 몇 개인지 뺄셈식으로 나타내어 보세요.

10 − 1 = 9

물음에 답하세요.

색종이가 10장 있습니다. 선물을 포장하는 데 색종이 7장을 사용한다면 몇 장이 남을까요?

식 10 − 7 = 3 답 3 장

달걀이 10개 있습니다. 상우가 달걀을 2개 먹는다면 몇 개가 남을까요?

식 10 − 2 = 8 답 8 개

사탕이 10개 있었는데 시유가 몇 개 먹었더니 4개가 남았습니다. 시유가 먹은 사탕은 몇 개일까요?

식 10 − 4 = 6 답 6 개

모자가 3개, 목도리가 10개 있습니다. 목도리는 모자보다 몇 개 더 많을까요?

식 10 − 3 = 7 답 7 개

24 교과연산 A1 2주차. 10에서 빼기 25

26・27쪽

09 식 만들기

월 일

세 수를 모두 이용하여 덧셈식과 뺄셈식을 하나씩 써 보세요.

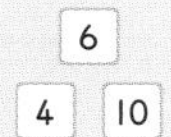

6, 4, 10: 4 + 6 = 10 / 10 − 6 = 4 (또는 4, 6)

10, 8, 2: 8 + 2 = 10 (또는 2, 8) / 10 − 8 = 2 (또는 2, 8)

3, 10, 7: 3 + 7 = 10 (또는 7, 3) / 10 − 3 = 7 (또는 7, 3)

1, 9, 10: 1 + 9 = 10 (또는 9, 1) / 10 − 1 = 9 (또는 9, 1)

상자 안과 밖에 있는 구슬은 모두 10개입니다. 그림을 보고 덧셈식과 뺄셈식을 하나씩 써 보세요.

구슬이 모두 10개인데 상자 밖에 7개 있으므로 상자 안에는 3개 있습니다.

7 + 3 = 10 / 10 − 7 = 3 (또는 3, 7)

5 + 5 = 10 / 10 − 5 = 5

2 + 8 = 10 (또는 8, 2) / 10 − 2 = 8 (또는 8, 2)

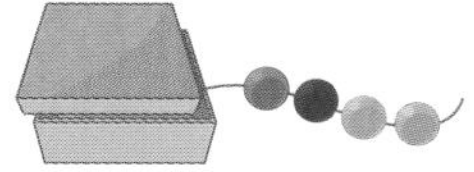

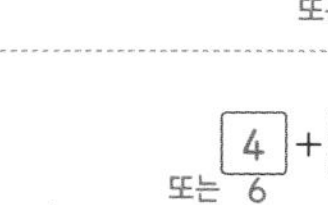

4 + 6 = 10 (또는 6, 4) / 10 − 4 = 6 (또는 6, 4)

26 교과연산 A1 2주차. 10에서 빼기 27

44 • 45 쪽

16 세 수 더하기

월 일

점 카드에 그려진 점을 더해 보세요.

6 + 4 + 3 = 13

6+4+3=10+3=13

4 + 3 + 7 = 14

5 + 5 + 1 = 11

8 + 2 + 7 = 17

3 + 9 + 1 = 13

6 + 5 + 5 = 16

더하는 세 수를 쓰는 순서는 바뀌어도 됩니다.

수 카드의 세 수를 더해 보세요.

3 7 5 → 3 + 7 + 5 = 15

6 4 6 → 6 + 4 + 6 = 16

3 5 5 → 3 + 5 + 5 = 13

8 2 9 → 8 + 2 + 9 = 19

7 7 3 → 7 + 7 + 3 = 17

9 1 2 → 9 + 1 + 2 = 12

더하는 세 수를 쓰는 순서는 바뀌어도 됩니다.

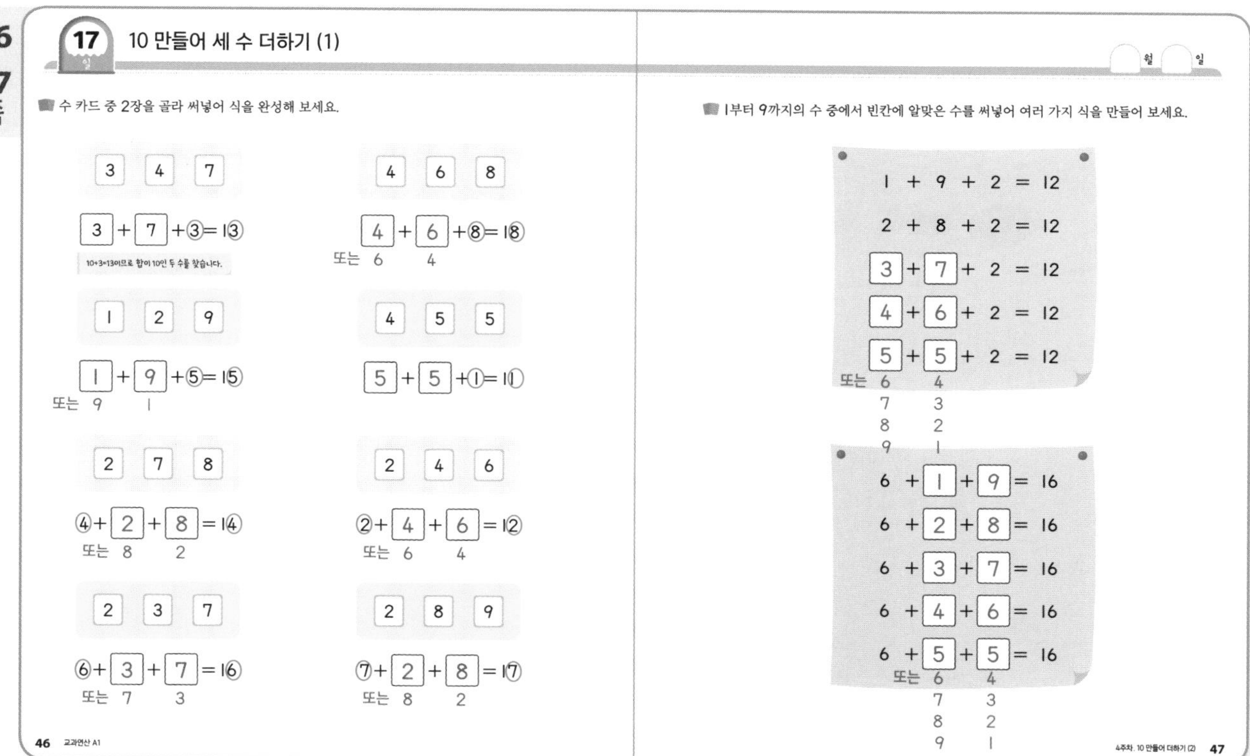

46 • 47 쪽

17 10 만들어 세 수 더하기 (1)

월 일

수 카드 중 2장을 골라 써넣어 식을 완성해 보세요.

3 4 7 → 3 + 7 + 3 = 13

10+3=13이므로 합이 10인 두 수를 찾습니다.

4 6 8 → 4 + 6 + 8 = 18 (또는 6 4)

1 2 9 → 1 + 9 + 5 = 15 (또는 9 1)

4 5 5 → 5 + 5 + 1 = 11

2 7 8 → 4 + 2 + 8 = 14 (또는 8 2)

2 4 6 → 2 + 4 + 6 = 12 (또는 6 4)

2 3 7 → 6 + 3 + 7 = 16 (또는 7 3)

2 8 9 → 7 + 2 + 8 = 17 (또는 8 2)

1부터 9까지의 수 중에서 빈칸에 알맞은 수를 써넣어 여러 가지 식을 만들어 보세요.

1 + 9 + 2 = 12
2 + 8 + 2 = 12
3 + 7 + 2 = 12
4 + 6 + 2 = 12
5 + 5 + 2 = 12
또는 6 4, 7 3, 8 2, 9 1

6 + 1 + 9 = 16
6 + 2 + 8 = 16
6 + 3 + 7 = 16
6 + 4 + 6 = 16
6 + 5 + 5 = 16
또는 6 4, 7 3, 8 2, 9 1

46 교과연산 A1

4주차. 10 만들어 더하기 (2) 47

정답

48·49쪽

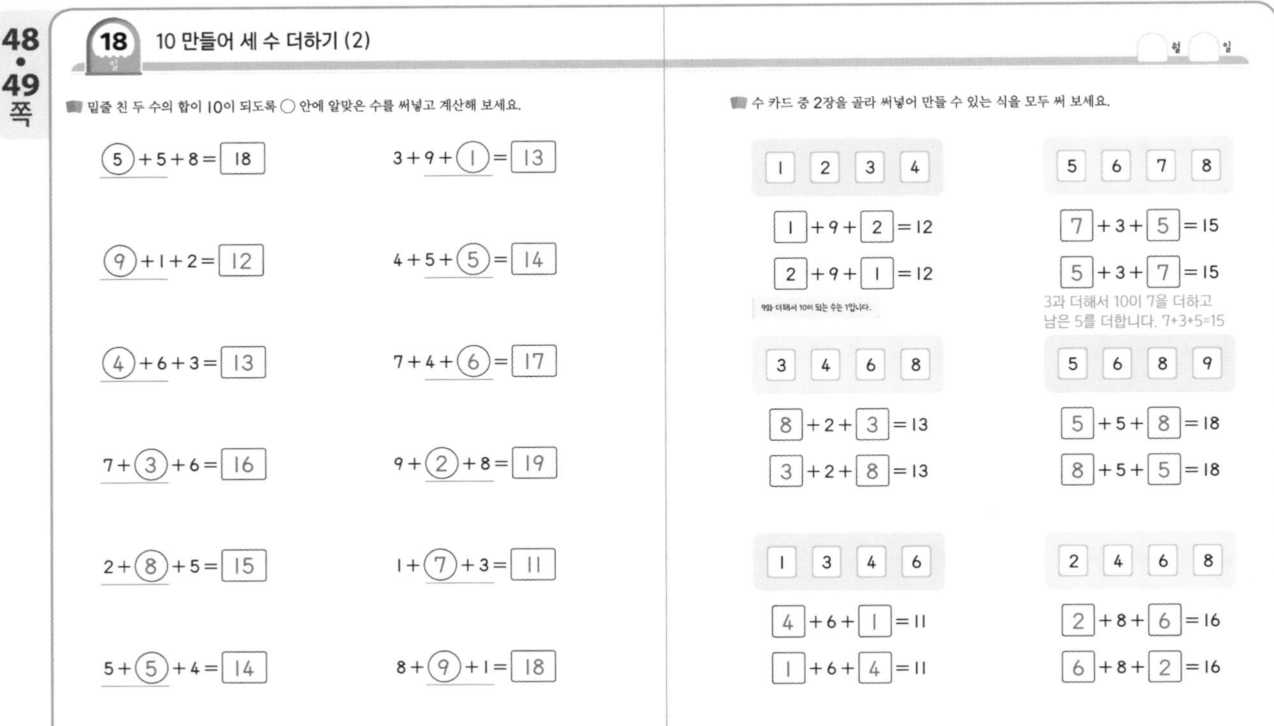

18일 10 만들어 세 수 더하기 (2)

월 일

밑줄 친 두 수의 합이 10이 되도록 ◯ 안에 알맞은 수를 써넣고 계산해 보세요.

(5)+5+8=18

3+9+(1)=13

(9)+1+2=12

4+5+(5)=14

(4)+6+3=13

7+4+(6)=17

7+(3)+6=16

9+(2)+8=19

2+(8)+5=15

1+(7)+3=11

5+(5)+4=14

8+(9)+1=18

수 카드 중 2장을 골라 써넣어 만들 수 있는 식을 모두 써 보세요.

1 2 3 4

1+9+2=12

2+9+1=12

9와 더해서 10이 되는 수는 1입니다.

5 6 7 8

7+3+5=15

5+3+7=15

3과 더해서 10이 7을 더하고 남은 5를 더합니다. 7+3+5=15

3 4 6 8

8+2+3=13

3+2+8=13

5 6 8 9

5+5+8=18

8+5+5=18

1 3 4 6

4+6+1=11

1+6+4=11

2 4 6 8

2+8+6=16

6+8+2=16

48 교과연산 A1

4주차. 10 만들어 더하기 (2) 49

50·51쪽

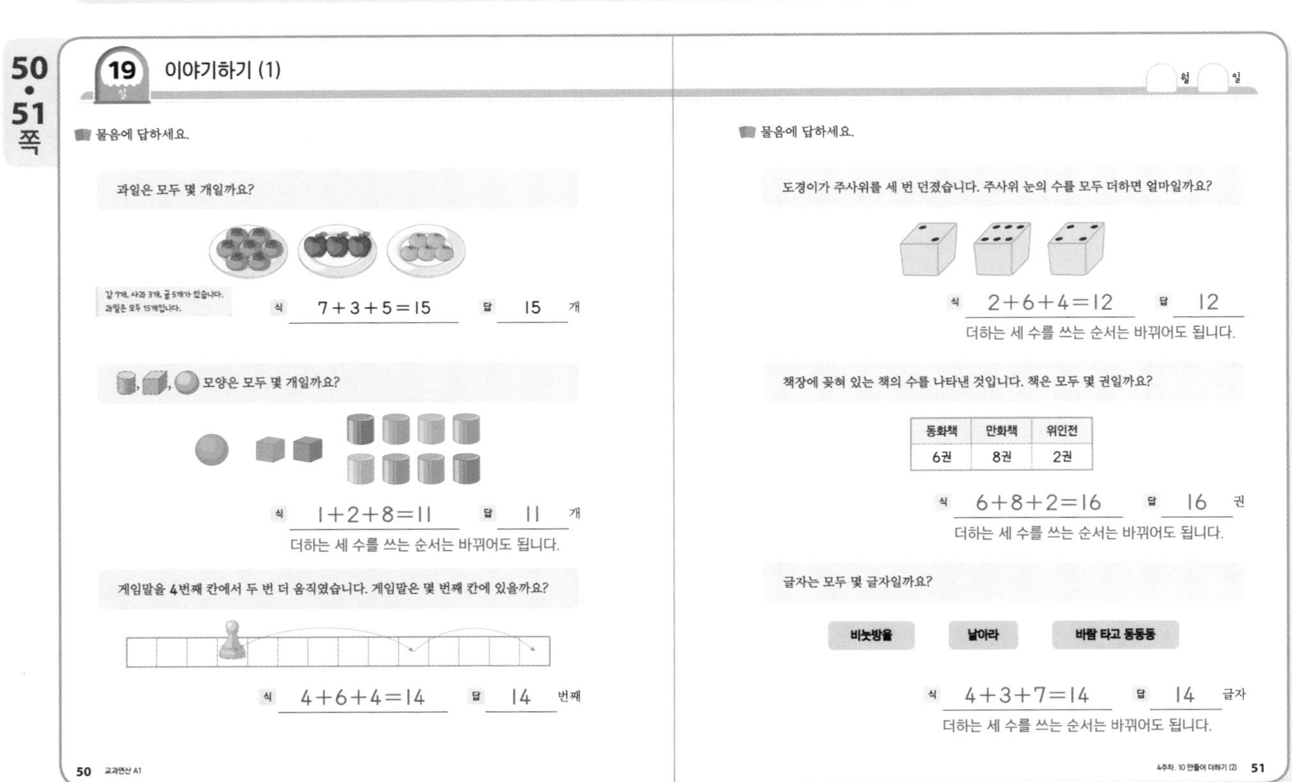

19일 이야기하기 (1)

월 일

물음에 답하세요.

과일은 모두 몇 개일까요?

감 7개, 사과 3개, 귤 5개가 있습니다. 과일은 모두 15개입니다.

식 7+3+5=15 답 15 개

모양은 모두 몇 개일까요?

식 1+2+8=11 답 11 개

더하는 세 수를 쓰는 순서는 바뀌어도 됩니다.

게임말을 4번째 칸에서 두 번 더 움직였습니다. 게임말은 몇 번째 칸에 있을까요?

식 4+6+4=14 답 14 번째

물음에 답하세요.

도경이가 주사위를 세 번 던졌습니다. 주사위 눈의 수를 모두 더하면 얼마일까요?

식 2+6+4=12 답 12

더하는 세 수를 쓰는 순서는 바뀌어도 됩니다.

책장에 꽂혀 있는 책의 수를 나타낸 것입니다. 책은 모두 몇 권일까요?

동화책	만화책	위인전
6권	8권	2권

식 6+8+2=16 답 16 권

더하는 세 수를 쓰는 순서는 바뀌어도 됩니다.

글자는 모두 몇 글자일까요?

비눗방울 / 날아라 / 바람 타고 둥둥둥

식 4+3+7=14 답 14 글자

더하는 세 수를 쓰는 순서는 바뀌어도 됩니다.

50 교과연산 A1

4주차. 10 만들어 더하기 (2) 51

52·53쪽

20 이야기하기 (2)

월 일

물음에 답하세요.

선반에 파란색 모자 2개, 검은색 모자 8개, 흰색 모자 4개가 있습니다. 선반에 있는 모자는 모두 몇 개일까요?

구하려는 것이 무엇인지 파악합니다.

식 2+8+4=14 답 14 개

책장에 위인전 7권, 동화책 6권, 만화책 4권이 꽂혀 있습니다. 책장에 꽂혀 있는 책은 모두 몇 권일까요?

식 7+6+4=17 답 17 권

더하는 세 수를 쓰는 순서는 바뀌어도 됩니다.

색종이 5장으로 종이배를 접고 1장으로 종이학을 접고 9장으로 종이비행기를 접었습니다. 색종이는 모두 몇 장 사용했을까요?

식 5+1+9=15 답 15 장

더하는 세 수를 쓰는 순서는 바뀌어도 됩니다.

지우가 초콜릿을 아침에 5개, 저녁에 5개 먹었더니 3개 남았습니다. 처음에 초콜릿은 몇 개 있었을까요?

식 5+5+3=13 답 13 개

더하는 세 수를 쓰는 순서는 바뀌어도 됩니다.

물음에 답하세요.

성민이네 집에 사과가 6개 있었는데 어머니께서 7개, 아버지께서 3개 더 사오셨습니다. 성민이네 집에 있는 사과는 모두 몇 개일까요?

식 6+7+3=16 답 16 개

더하는 세 수를 쓰는 순서는 바뀌어도 됩니다.

연지는 엽서 4장을 가지고 있었습니다. 엽서 9장을 더 사고 친구에게서 1장을 받았습니다. 연지가 가진 엽서는 모두 몇 장일까요?

식 4+9+1=14 답 14 장

더하는 세 수를 쓰는 순서는 바뀌어도 됩니다.

달걀을 어제는 8개, 오늘은 2개 먹었더니 달걀이 9개 남았습니다. 처음에 달걀이 몇 개 있었을까요?

식 8+2+9=19 답 19 개

더하는 세 수를 쓰는 순서는 바뀌어도 됩니다.

공원에 소나무가 4그루, 느티나무가 6그루, 은행나무가 8그루 있습니다. 공원에 있는 나무는 모두 몇 그루일까요?

식 4+6+8=18 답 18 그루

더하는 세 수를 쓰는 순서는 바뀌어도 됩니다.

54쪽

물음에 답하세요.

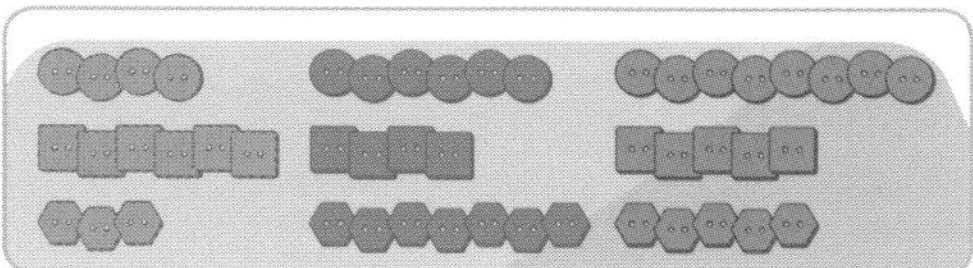

빨간색, 파란색, 초록색 단추는 각각 몇 개일까요?

빨간색 식 4+6+3=13 답 13 개

파란색 식 6+4+7=17 답 17 개

초록색 식 8+5+5=18 답 18 개

○, □, ⬡ 모양의 단추는 각각 몇 개일까요?

○ 모양 식 4+6+8=18 답 18 개

□ 모양 식 6+4+5=15 답 15 개

⬡ 모양 식 3+7+5=15 답 15 개

더하는 세 수를 쓰는 순서는 바뀌어도 됩니다.

56·57쪽

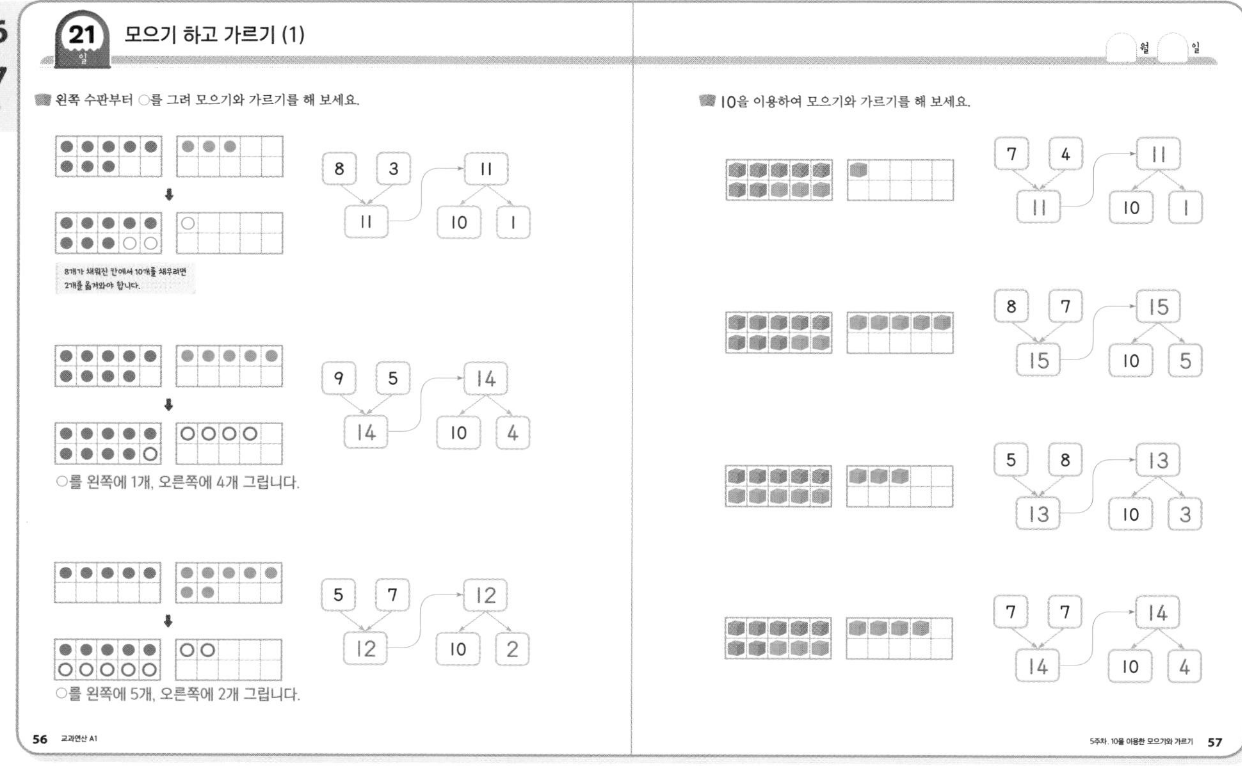

21일 모으기 하고 가르기 (1)

월 일

왼쪽 수판부터 ○를 그려 모으기와 가르기를 해 보세요.

8, 3 → 11 → 10, 1

8개가 채워진 칸에서 10개를 채우려면 2개를 옮겨와야 합니다.

9, 5 → 14 → 10, 4

○를 왼쪽에 1개, 오른쪽에 4개 그립니다.

5, 7 → 12 → 10, 2

○를 왼쪽에 5개, 오른쪽에 2개 그립니다.

10을 이용하여 모으기와 가르기를 해 보세요.

7, 4 → 11 → 10, 1

8, 7 → 15 → 10, 5

5, 8 → 13 → 10, 3

7, 7 → 14 → 10, 4

56 교과연산 A1

5주차. 10을 이용한 모으기와 가르기 57

58·59쪽

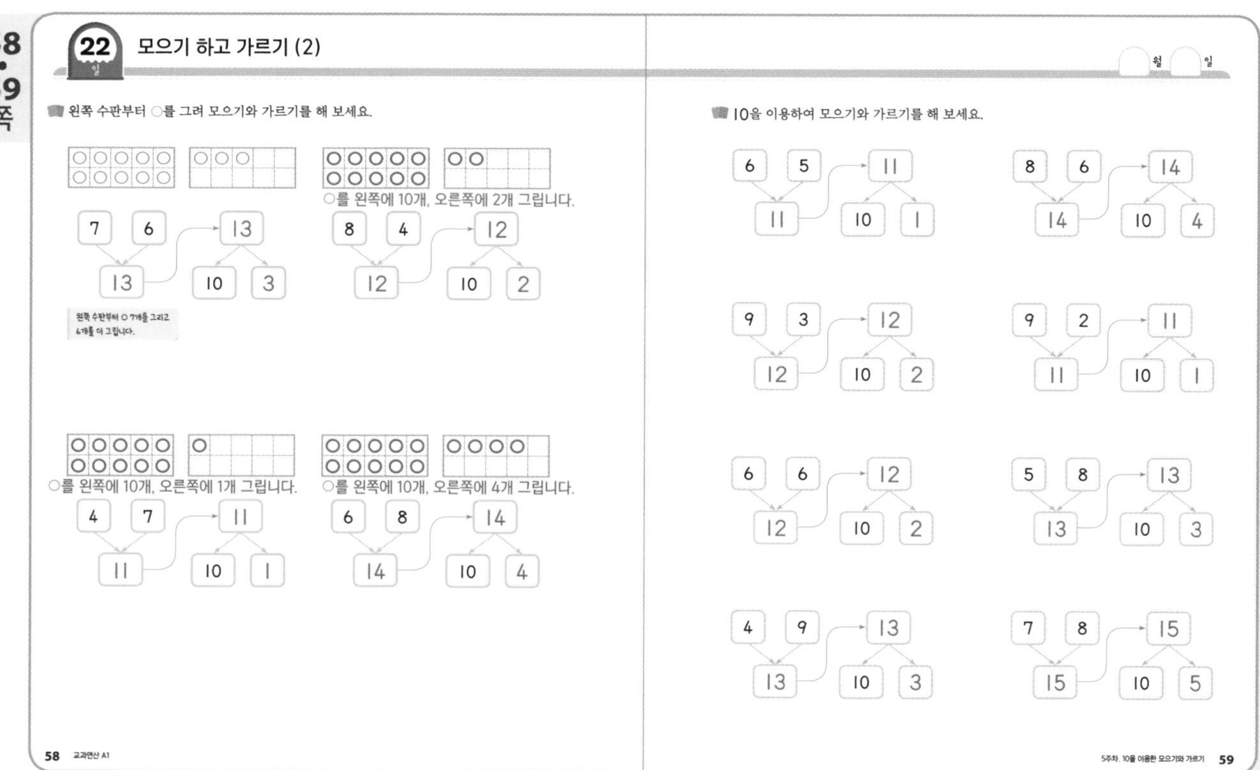

22일 모으기 하고 가르기 (2)

월 일

왼쪽 수판부터 ○를 그려 모으기와 가르기를 해 보세요.

7, 6 → 13 → 10, 3

왼쪽 수판부터 ○ 7개를 그리고 6개를 더 그립니다.

○를 왼쪽에 10개, 오른쪽에 2개 그립니다.

8, 4 → 12 → 10, 2

○를 왼쪽에 10개, 오른쪽에 1개 그립니다.

4, 7 → 11 → 10, 1

○를 왼쪽에 10개, 오른쪽에 4개 그립니다.

6, 8 → 14 → 10, 4

10을 이용하여 모으기와 가르기를 해 보세요.

6, 5 → 11 → 10, 1

8, 6 → 14 → 10, 4

9, 3 → 12 → 10, 2

9, 2 → 11 → 10, 1

6, 6 → 12 → 10, 2

5, 8 → 13 → 10, 3

4, 9 → 13 → 10, 3

7, 8 → 15 → 10, 5

58 교과연산 A1

5주차. 10을 이용한 모으기와 가르기 59

60·61쪽

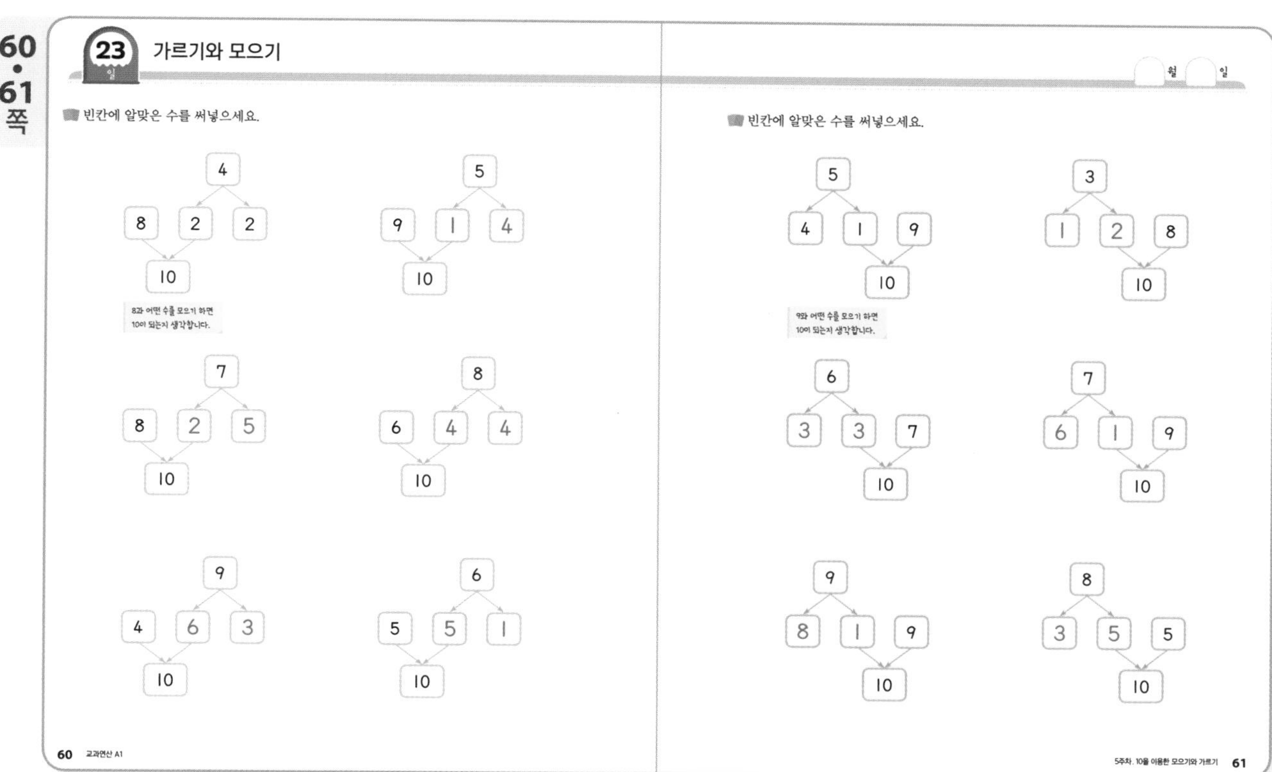

23일 가르기와 모으기

월 일

빈칸에 알맞은 수를 써넣으세요.

4 / 8, 2, 2 / 10

8과 어떤 수를 모으기 하면 10이 되는지 생각합니다.

5 / 9, 1, 4 / 10

7 / 8, 2, 5 / 10

8 / 6, 4, 4 / 10

9 / 4, 6, 3 / 10

6 / 5, 5, 1 / 10

빈칸에 알맞은 수를 써넣으세요.

5 / 4, 1, 9 / 10

9와 어떤 수를 모으기 하면 10이 되는지 생각합니다.

3 / 1, 2, 8 / 10

6 / 3, 3, 7 / 10

7 / 6, 1, 9 / 10

9 / 8, 1, 9 / 10

8 / 3, 5, 5 / 10

60 교과연산 A1

5주차. 10을 이용한 모으기와 가르기 61

62·63쪽

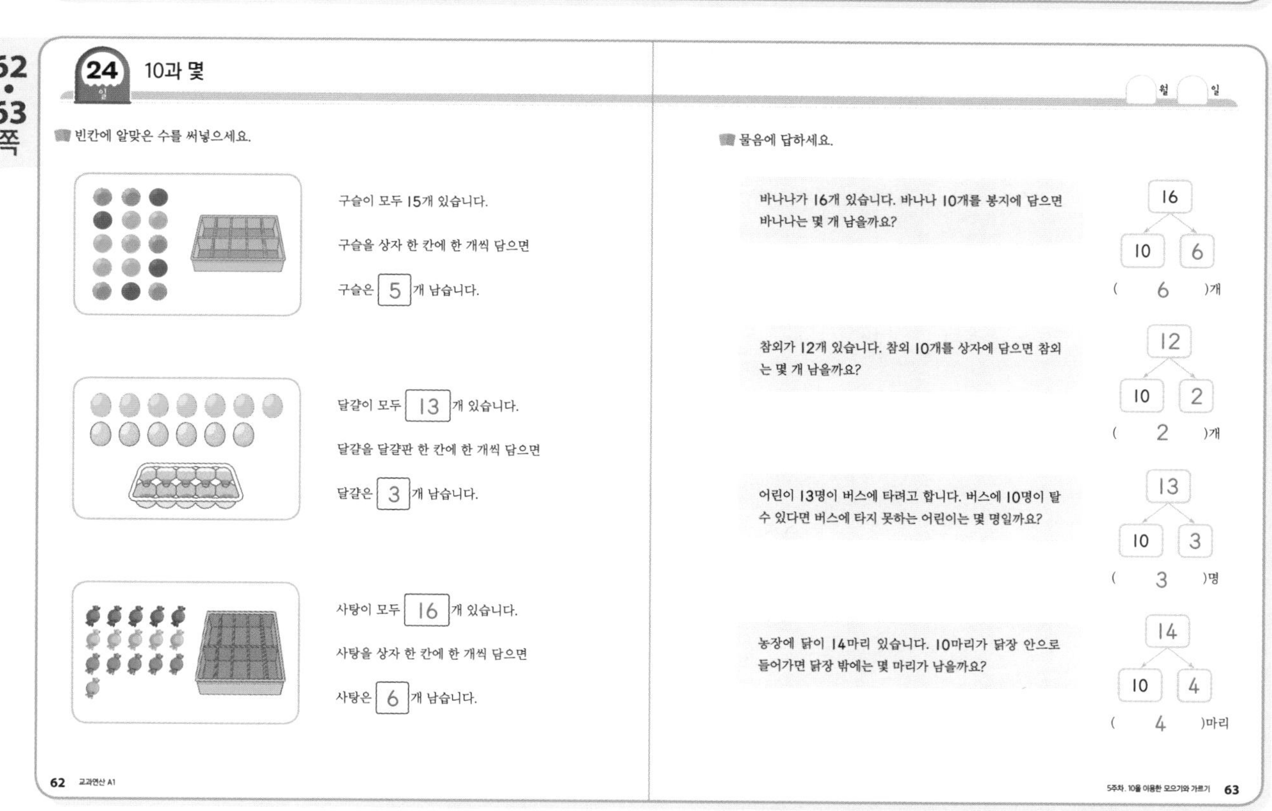

24일 10과 몇

월 일

빈칸에 알맞은 수를 써넣으세요.

구슬이 모두 15개 있습니다.
구슬을 상자 한 칸에 한 개씩 담으면
구슬은 5 개 남습니다.

달걀이 모두 13 개 있습니다.
달걀을 달걀판 한 칸에 한 개씩 담으면
달걀은 3 개 남습니다.

사탕이 모두 16 개 있습니다.
사탕을 상자 한 칸에 한 개씩 담으면
사탕은 6 개 남습니다.

물음에 답하세요.

바나나가 16개 있습니다. 바나나 10개를 봉지에 담으면 바나나는 몇 개 남을까요?
16 / 10, 6
(6)개

참외가 12개 있습니다. 참외 10개를 상자에 담으면 참외는 몇 개 남을까요?
12 / 10, 2
(2)개

어린이 13명이 버스에 타려고 합니다. 버스에 10명이 탈 수 있다면 버스에 타지 못하는 어린이는 몇 명일까요?
13 / 10, 3
(3)명

농장에 닭이 14마리 있습니다. 10마리가 닭장 안으로 들어가면 닭장 밖에는 몇 마리가 남을까요?
14 / 10, 4
(4)마리

62 교과연산 A1

5주차. 10을 이용한 모으기와 가르기 63

64·65쪽

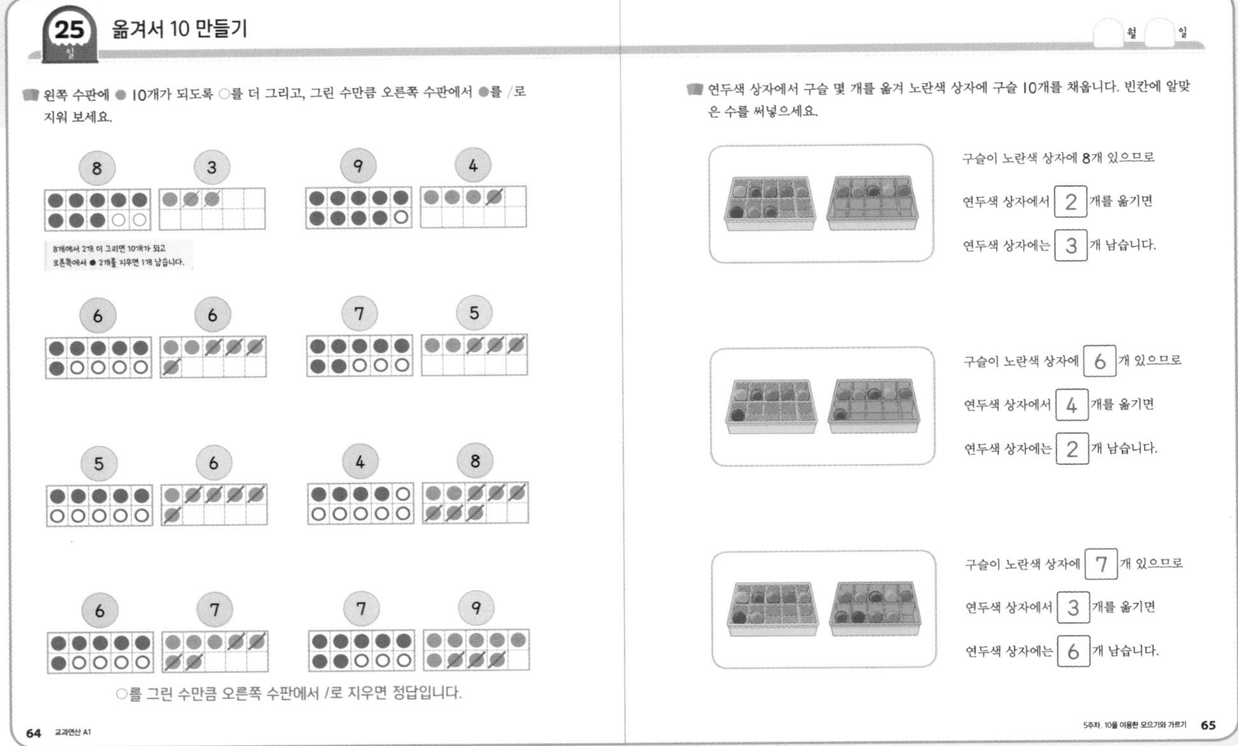

25 옮겨서 10 만들기

월 일

왼쪽 수판에 ● 10개가 되도록 ○를 더 그리고, 그린 수만큼 오른쪽 수판에서 ●를 /로 지워 보세요.

8, 3 / 9, 4

8개에서 2개 더 그리면 10개가 되고 오른쪽에서 ● 2개를 지우면 1개 남습니다.

6, 6 / 7, 5

5, 6 / 4, 8

6, 7 / 7, 9

○를 그린 수만큼 오른쪽 수판에서 /로 지우면 정답입니다.

연두색 상자에서 구슬 몇 개를 옮겨 노란색 상자에 구슬 10개를 채웁니다. 빈칸에 알맞은 수를 써넣으세요.

구슬이 노란색 상자에 8개 있으므로
연두색 상자에서 2 개를 옮기면
연두색 상자에는 3 개 남습니다.

구슬이 노란색 상자에 6 개 있으므로
연두색 상자에서 4 개를 옮기면
연두색 상자에는 2 개 남습니다.

구슬이 노란색 상자에 7 개 있으므로
연두색 상자에서 3 개를 옮기면
연두색 상자에는 6 개 남습니다.

64 교과연산 A1 / 5주차. 10을 이용한 모으기와 가르기 65

66쪽

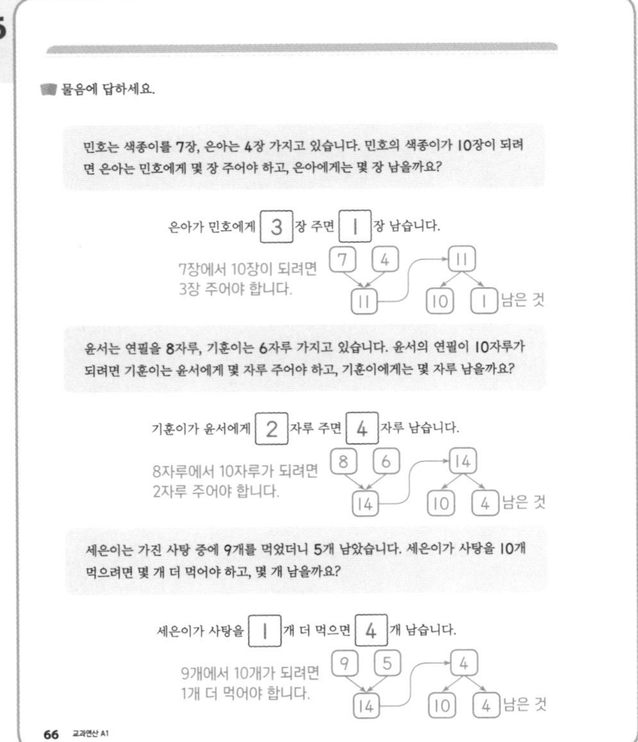

물음에 답하세요.

민호는 색종이를 7장, 은아는 4장 가지고 있습니다. 민호의 색종이가 10장이 되려면 은아는 민호에게 몇 장 주어야 하고, 은아에게는 몇 장 남을까요?

은아가 민호에게 3 장 주면 1 장 남습니다.

7장에서 10장이 되려면 3장 주어야 합니다.

7, 4 → 11 → 10, 1 남은 것

윤서는 연필을 8자루, 기훈이는 6자루 가지고 있습니다. 윤서의 연필이 10자루가 되려면 기훈이는 윤서에게 몇 자루 주어야 하고, 기훈이에게는 몇 자루 남을까요?

기훈이가 윤서에게 2 자루 주면 4 자루 남습니다.

8자루에서 10자루가 되려면 2자루 주어야 합니다.

8, 6 → 14 → 10, 4 남은 것

세은이는 가진 사탕 중에 9개를 먹었더니 5개 남았습니다. 세은이가 사탕을 10개 먹으려면 몇 개 더 먹어야 하고, 몇 개 남을까요?

세은이가 사탕을 1 개 더 먹으면 4 개 남습니다.

9개에서 10개가 되려면 1개 더 먹어야 합니다.

9, 5 → 14 → 10, 4 남은 것

66 교과연산 A1

하루 한 장 75일
집중 완성

교과 연산

“연산을 이해하려면 수를 먼저 이해해야 합니다.”

“계산은 문제를 해결하는 하나의 과정입니다.”

“교과연산은 상황을 판단하는 능력을 길러주는 연산입니다.”

HERO